Mode

Notendop junior

Andere titels in de serie **Notendop junior**

Het weer – Erwin Kroll
ISBN 90 6494 062 2

Het zonnestelsel – Hans van Maanen
ISBN 90 6494 111 4

De kosmos – Margriet van der Heijden
ISBN 90 00 03560 0

De Olympische Spelen – Mart Smeets
ISBN 90 00 03587 2

Popmuziek – Hester Carvalho
ISBN 90 00 03586 4

De geschiedenis van Nederland – Hans Ulrich & Erik van der Walle
ISBN 90 00 03622 4

Het NOS Jeugdjournaal – Brecht van Hulten & Jan Paul Schutten
ISBN 90 00 03695 X

Voetbal – Harold de Croon & Arjan Weenink
ISBN 90 00 03715 8

Georgette Koning

Mode

Notendop junior

Met tekeningen van Elly Hees

Van Goor

ISBN 90 00 03716 6
NUR 210

© 2006 Uitgeverij Van Goor
Unieboek BV, postbus 97, 3990 DB Houten
www.van-goor.nl
www.unieboek.nl
www.georgettekoning.nl
www.beeldvanhees.nl

tekst Georgette Koning
illustraties en vormgeving Elly Hees

Inhoud

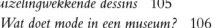

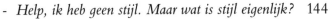

Hoofdstuk 12

Feest! 170

Inleiding

Mode!

Iedereen doet mee aan mode. Ja, jij ook! Elke morgen sta
je voor je kast. 'Wat zal ik aantrekken: die strakke broek
of die heupbroek met wijde pijpen? Is die nog cool?'
Met mode is iets vreemds aan de hand. De nieuwste
mode die in de winkels hangt, is altijd nét even anders
dan wat er in jouw kast hangt. En áltijd leuker...
Mode is onweerstaanbaar. Je kunt het zo gek niet
bedenken of we móeten het hebben! Zoals die broek die
hartstikke van je kont afzakt. Of een trui met capuchon
of zo'n leuke pet.
Honderden jaren geleden wilden mensen al steeds nieuwe
kleren. En weet je wat opvalt? Vergeleken met heel
vroeger is de mode nu eigenlijk heel erg sáái! Dat kun
je zien op schilderijen van vierhonderd jaar geleden. Je
gelooft niet wat je ziet! Onhandige hoepelrokken, lastige
schapenboutmouwen, belachelijke molensteenkragen en
benauwde korsetten. Aáh, en wat hadden de mannen
rare wijde pofbroeken aan! Ooit waren zulke kleren
(waar je waarschijnlijk nog nooit van gehoord hebt) net
zo hip als de spijkerbroek en sneakers nu. Over zulke
dingen lees je in dit boek.

Ook zijn er uitvindingen die het leven, en natuurlijk
ook de mode, veranderd hebben. Zoals elektriciteit, de
telefoon en internet. Of een heel gewoon ding als de
fiets. Die werd rond 1900 uitgevonden. Eindelijk hadden

vrouwen een goede reden om die lastige hoepeljurk uit te
trekken en een handige broek te kopen! En reken maar
dat iedereen daar honderd jaar geleden heel erg van
opkeek. Inmiddels zijn we er helemaal aan gewend dat
vrouwen net als mannen een broek dragen. Nooit zullen
vrouwen weer zo'n wijde hoepelrok aantrekken.
Alhoewel... Mode is onvoorspelbaar. We weten nooit iets
zeker! Dus misschien doe je later toch wel een heel wijde
rok met hoepels aan. En vind je het nog mooi ook. En
dat je even niet kunt fietsen – ach, wat zou dat?
Dat je niets zeker weet in de mode is een beetje de schuld
van modeontwerpers, de mensen die nieuwe kleren
bedenken. Zij halen hun ideeën – inspiratie – overal
vandaan. Waar dan? Nou, waar niet, zou je beter
kunnen zeggen!

De meeste ontwerpers bezoeken vaker dan jij een
museum en kopen zich arm aan kunstboeken. Sommigen
kunnen beter in een theater of bioscoop gaan wonen, zo
vaak komen ze daar.
Niet alleen modeontwerpers bepalen wat voor kleren wij
aantrekken. Popsterren en filmsterren hebben ook een
grote invloed op mode.
Vooral mode en muziek vormen een mooi echtpaar.
Mensen willen graag lijken op hun idolen. Vroeger, in
de jaren vijftig, op Elvis met zijn rock-'n-rollkuifje. In de
jaren zestig op de hippiezangeres Melanie met haar lange
haren en wijde rokken. In de jaren zeventig op punker
Johnny Rotten met zijn gescheurde kleren. En de laatste
jaren willen jongens net zulke grote hiphopsweaters als
Eminem. En droomt niet elk meisje ervan om indruk te
maken in net zulke topjes als die van Jennifer Lopez? Of

om er net zo stoer uit te zien als popzangeres Anouk, of zo sexy als actrice Katja Schuurman?

Trouwens, er is iets eigenaardigs met mode aan de hand: de nieuwe mode begint altijd heel klein. Neem die afzakkende spijkerbroek. Die broek die op je heupen 'hangt'. De Engelse modeontwerper Alexander McQueen kwam in 2000 met die broek op de proppen. De hele modewereld moest lachen natuurlijk. Hij noemde ze *bumsters*. Wij noemden het een broek met bouwvakkersdecolleté. Olala, sexy dus!
Maar mode wordt pas echt mode als héél veel mensen het zien zitten. Zoals die heupbroek van Alexander McQueen, die heeft nu toch bijna iedereen?
En dan, plotseling, is het voorbij. Dat is als iedereen het heeft. Ook die saaie kinderen bij je in de klas en oude mensen op straat. Misschien heeft zelfs je moeder er wel een! Dan is het over. Genoeg. Weg ermee. 'MAM, IK WIL WAT ANDERS! Ik MOET naar de winkel!' Herken je dat?
'Alles raakt ooit uit de mode.' Dat zei de beroemde modeontwerpster Coco Chanel. En zo is het. En zo gaat het al honderden jaren lang. Gelukkig maar.
Er zijn ook mensen die mode maar dom vinden. 'Dûh, lekker onbelangrijk,' zeggen ze dan. Die hoeven niet meteen de nieuwste schoenen of het laatste kapsel. Maar uiteindelijk moeten ze wel. Dan kijken ze in de spiegel, en dan schrikken ze.
Uiteindelijk wil iedereen er toch mooi, hip en knap uitzien. Anders kijken de mensen zo raar naar je op straat. Of nog erger: helemaal niet. Dat is pas erg!

Hoofdstuk 1

De grote modeontdekkingsreis

'Iedereen wil er zo aantrekkelijk mogelijk uitzien. Ik weet zeker dat Eva een heleboel vijgenblaadjes had. Een licht, een donker, een rood, een groen.'
Colin McDowell, modehistoricus

Kun jij je voorstellen dat iedereen, ja, mannen én vrouwen, dezelfde kleren draagt? Dat zou saai zijn. Alsof we allemaal lid zijn van dezelfde voetbalclub of van één muziekkorps.

Gelukkig hoeven wij daar niet bang voor te zijn.

Mensen houden veel te veel van kleren! Maar zomaar elk kledingstuk of merk aantrekken? Ho, zo werkt het niet.

Bij kleine kinderen nog wel. Die lopen niet achter elke mode aan. Op een enkel modebewust 'eigenwijsje' na misschien. De meeste kids willen maar één ding: zoveel mogelijk op hun moeder, vader en vriendjes lijken.

Er verandert iets tegen de tijd dat je elfde of twaalfde verjaardag in zicht komt. Plotseling moet er van alles ontdekt worden. Ook met vriendjes en vriendinnetjes wordt het druk druk druk. Meisjes vinden jongens niet langer irritante pestkoppen. En jongens vinden niet langer alle meisjes kinderachtig.

Tijdens die ontdekkingsreis gaat ook mode een belangrijke rol spelen. Want tjee, wat zijn kleren toch handig om indruk te maken op een lekker ding! Voor hem, of voor haar, wil je er zo leuk, gek, lief, stoer, sportief en aantrekkelijk mogelijk uitzien.

Gevolg: mode wordt belangrijk in je leven! (Dáág pony, dáág hamster, dáág gereedschapskist). Want wat gaat er veel tijd in zitten voordat je dé spijkerbroek van het juiste merk hebt gescoord. Hoe heb je ooit kunnen leven zónder merkkleding?

Leven zonder merkkleding? Het kan!

Kleding met merkjes erin bestaat pas zo'n honderdvijftig jaar. En dat terwijl we al tienduizenden jaren kleding dragen! Nou ja, iets wat erop lijkt. Dat weten we omdat er van voor het stenen tijdperk - 25.000 jaar geleden - naalden bewaard zijn gebleven. Met dit handige gereedschap, dat van botsplinters gemaakt werd, naaiden mensen kleding van dierenhuiden. Nou ja, kleding... Het waren eerder vormeloze lappen. De sterke huiden werden in de eerste plaats gedragen als bescherming. Tijdens het jagen of het struinen door onherbergzame gebieden. Het klinkt ongelofelijk. Ooit was er dus een tijd dat merkkleding niet bestond! Maar goed ook. Want die ruige holbewoners hadden er geen probleem mee om iemand te onthoofden voor een echte Dirk Knuddeberg, dé stoere jas voor de moderne oermens.

Zelfs met naaktlopen hadden onze verre voorouders trouwens totaal geen moeite. Voordat iemand zo slim was om het jasje van een beer te stelen, liep iedereen honderdduizenden jaren lang helemaal bloot. Ook als het heel koud was. Wist je dat een mensenlichaam zich prima kan aanpassen aan lage temperaturen? In Zweden zetten moeders nu nog hun baby'tjes elke dag expres even buiten in de vrieskou.

De noodzaak van versiering: herkenning

Naaktlopen was gevaarlijk. Niet omdat loslopend wild in je blote billen kon bijten. De vijand, dat was de mens! Versieringen van het lichaam waren daarom belangrijk als herkenning. Zo lieten bosjesmens en holbewoner zien bij welke stam ze hoorden. Want voor je het wist had je de pijl van een onbekende in je achterste, of erger. Maar zolang je werd herkend als goed volk, was er niets aan de hand. Trouwens, zo werkt het nog steeds bij natuurvolkeren.

Fantasie om het lichaam te versieren had men genoeg. Bijvoorbeeld met verf (make-up! toen al), veren of opvallende sieraden als amuletten. Die beschermden ook tegen boze dingen.

Sommige stammen maakten hun lichaam mooi met geverfde motiefjes. Vooral als ze op oorlogspad gingen, maakten ze het bont gekleurd. Ook enge maskers kwamen dan goed van pas.

En als een lichaam vol opzettelijk aangebrachte 'sierlittekens' zat, dan begreep je heus dat die persoon niet bang uitgevallen was. Reken maar dat de vijand zich een hoedje schrok als er opeens zo'n gemaskerde wildeman voor zijn neus stond!

Zulke gewoontes hebben mensen nog steeds. Als je nu mensen wilt laten schrikken, dan word je een booskijkende gothic. Of je laat een megatatoeage op je arm zetten. Tegenwoordig jaag je niemand meer de stuipen op het lijf met een hanenkam, een veiligheidsspeld door je oor of een tattoo. Al zullen je ouders niet blij zijn met je nieuwe look. Maar één ding is zeker: je ziet er wel anders uit dan andere mensen! Alhoewel je er tegenwoordig echt aparter uitziet zónder tatoeage.

Versiering als verleiding: de club van punthoofden

Het versieren van het lichaam was niet alleen belangrijk om te overleven. Mensen vonden het ook leuk om ermee bezig te zijn, al had het helemaal niets met mode te maken. Hoe ze dat deden kun je nog altijd zien bij natuurvolkeren zoals sommige stammen in Afrika en Australië. Met een botje door de neus, een schoteltje in een lip of hangoren vinden mensen zichzelf supersexy.

En om er zo mooi en verleidelijk mogelijk uit te zien, is geen pijngrens te hoog. In sommige stammen vervormen mannen en vrouwen zelfs hun lichaam. Door strakke metalen ringen om armen te schuiven, komen de spieren mooi uit. Zelfs een punthoofd is maakbaar. Gewoon de baby vlak na de geboorte tussen twee plankjes binden. Ook heel gewoon was het doorboren - vooral van oren. En dat is het nog steeds. Hout, metaal of schelpen, mensen vinden het allemaal even beeldig staan. Extreme schoonheidsidealen zijn hier geen mode.

Het gekste waar je nu nog mee kunt opvallen is
een oogjuweel - een glimsteentje in je oogwit - een
tandversiering of *scarification*, het opzettelijk aanbrengen
van littekens. Piercings en tatoeages heeft iedereen al.
Er mooi uit willen zien is van alle tijden. Al in het
stenen tijdperk had de beste jager de mooiste huiden in
zijn hutje hangen. Wat dat betreft is er niets veranderd.
Kijk eens hoe sommige vrouwen hun trofeeën (tassen)
showen. Met een dure Louis Vuitton-tas of een prijzige
Chanel-zonnebril denken ze indruk op het 'gewone' volk
te maken. Zouden deze vrouwen weten dat die truc is
uitgewerkt?
Opscheppen met dure merkaccessoires is uit de mode. En
trouwens, dat Vuittonnetje of Chanel-brilletje is in de
meeste gevallen een nepper!

De eerste fashionista's

Modeslachtoffers, mensen die alleen gelukkig zijn als ze
constant achter alle trends aan hollen, bestaan sinds de
zeventiende eeuw. Bijna alles werd, volgens de filosoof
Voltaire, óf opnieuw bedacht, óf uitgevonden in die tijd.
In 1694 duikt het woord 'modeslaven' (*esclaves de la mode*)
voor het eerst op in een Franse encyclopedie.
Het eerste mannelijke stijlicoon ooit was koning Lodewijk
XIV van Frankrijk. Hij kreeg het voor elkaar dat mensen
achter alle modes aan holden. De modekoning (die maar
liefst zeventig jaar regeerde) bracht de Parijzenaars gevoel
voor mode bij. Sindsdien staat Parijs bekend als stad waar
mensen stijl en smaak hebben.
Alleen de allerrijksten konden de door hun koning
gezette modetrends volgen. Het 'gewone volk' - boeren,

arbeiders, handelaars en welvarende burgers - behoorde tot een lagere stand. Zij probeerden wél de rijken te imiteren. Maar mooi dat ze door de mand vielen met hun goedkope stofjes en accessoires. Luxe materialen als bont en kant waren zelfs verboden voor het volk. Verschil in stand moest er zijn. Hoe anders is dat nu!

Prinses Máxima ziet er altijd prachtig uit. Maar is jou ook iets opgevallen? Onze mooie prinses ziet er soms - ja, zelfs op koninginnedag - wel een beetje erg eh... 'gewoontjes' uit. Kleden wij ons nou steeds vaker aan alsof we een prinsesje zijn? Of doen al die rijke, belangrijke mensen hun best om op ons te lijken?

Tja, en Máxima? Laten we het er maar op houden dat zij lekker aantrekt waar ze zelf zin in heeft. Een modeslaafje is ze zeker niet!

gouden modetips

GA ALVAST SPAREN VOOR:

- kasjmier truitjes in verschillende kleuren
- nagellak nr. 2 van Yves Saint Laurent
- een klein zwart jurkje, maakt niet uit van welk merk
- een zijden Hermès-sjaaltje
- laarzen met stilettohakken van Manolo Blahnik
- een Jackie O.-zonnebril (met heel grote glazen!)
- een *bling!* diamanten ring

Koninklijke trends

Goed, vroeger volgden dus alleen de aller-allerrijksten de modetrends. Maar wie aapten zij dan na?

Eeuwenlang bepaalden koningen als Lodewijk XIV en

hun koninginnen de mode. Pas tegen het eind van de negentiende eeuw wordt het beroep modeontwerper uitgevonden. (Verderop onder 'Bijna alles over de eerste modeontwerper' lees je hier meer over.)

Tot die tijd kwamen de koninklijke modetrends in samenwerking tussen handwerkslieden (schoenmakers en sieradenmakers) en kunstenaars en hun opdrachtgever (de koning dus) tot stand. Leonardo da Vinci was tegen 1500 kind aan huis bij de Franse koning François de Eerste. Het gerucht gaat dat Da Vinci de hoge hak zou hebben uitgevonden. Overigens, lange tijd werden hoge hakken, die in de zeventiende eeuw om te beginnen door mannen werden gedragen, gezien als een teken van rijkdom.

De kunstschilder Jacques-Louis David is ietsje minder beroemd. Maar hij ontwierp wel de kleding voor een van de belangrijkste gebeurtenissen in de geschiedenis. Dat was de kroning van keizer Napoleon. Op een schilderij van David kun je mooi zien wat hij voor keizerin Joséphine had ontworpen. Ze draagt een witte jurk met daaroverheen een lange rode mantel, die gevoerd is met hermelijnbont.

Het koninklijke gevolg – belangrijke mensen die aan het hof woonden – bestudeerde nauwkeurig de kleding van zijn werkgevers en liet die door kleermakers namaken. Nu bepaalt de adel allang niet meer de mode. Op een enkele uitzondering na. De laatste trendsettende prinses die de hele wereld nog volgde was de Engelse prinses Diana (die verongelukte in een tunnel in Parijs). Wat een invloed had Lady Di op trouwlustige paartjes! Na haar sprookjeshuwelijk met prins Charles wilden talloze vrouwen dezelfde sprookjesachtige trouwjurk, inclusief megapofmouwen!

Wat droegen kinderen vroeger?

Wees blij dat je nu leeft! Tot ongeveer het eind van de
achttiende eeuw - ruim tweehonderd jaar geleden dus -
zagen kinderen eruit als miniatuurvolwassenen. Meisjes
én jongens droegen dezelfde lange jurken als hun moeder.
Eigenlijk begon de ellende al als baby'tje. Meteen na
de geboorte werden kleintjes als 'cadeautjes' ingepakt.
Daarvoor gebruikte de moeder lange repen stof die ze
om haar kindje heen wikkelde. Bakeren heet dat. En
hoe strakker, hoe beter! Baby leek net een Egyptische
mummie!
Vanaf een jaar of zes moesten kinderen net zulke kleren
dragen als hun ouders. Je begrijpt dat het niet lekker spelen
was in een jurk. Want onder die strakke jurk met knellend
kraagje en nauwe mouwen, moesten de kinderen ook nog
een korset dragen. En zelfs een hoepelrokje!
Fijn zittende kinderkleding bestaat pas zo'n jaar of
zestig. Tegenwoordig is er weer iets vreemd met kinderkleding aan de hand. De kindermode aapt wéér de

21

grotemensenmode na. Een voorbeeld daarvan is de string,
dat piepkleine onderbroekje, dat ook in kindermaatjes te
koop is.

Bijna alles over de eerste modeontwerper: Charles Frederick Worth (1826-1895) (die dat eigenlijk niet was!)

*Al eeuwen dragen we kleren. Maar toch is modeontwerper niet
het oudste beroep ter wereld. Nog maar zo'n 150 jaar geleden
begonnen mensen met het ontwerpen van speciale kleding. Ook
verschenen er pas toen merkjes in kleding.*

*De Engelsman (jahaa, geen Fransman!) Charles Frederick
Worth is de allereerste modeontwerper. In 1845 verhuist hij
van Londen naar Parijs. Daar maakt de talentvolle ontwerper
speciale jurken voor keizerin Eugénie, de vrouw van
Napoleon III. Én krijgt hij maar liefst negen koninginnen en
verschillende prinsesjes als vaste klant.*

*Waar bestelden alle chique dames vóór die tijd hun prachtige
jurken? Bijvoorbeeld bij de Franse Rose Bertin. Haar
beroemdste klant was Marie-Antoinette, de vrouw van koning
Lodewijk XIV van Frankrijk.*

*Toch gaat Rose Bertin, geboren in 1747, niet de modeboekjes
in als eerste modeontwerpster, al kleedde zij de belangrijkste
vrouwen ter wereld. Rose Bertin was namelijk 'handelaarster in
fournituren'. Ze verkocht linten, borduursels, kant, versiersels en
veren in haar eigen Parijse winkel, en versierde er jurken mee.
Ze ontwierp dus niet echt kleding.*

*In die tijd veranderden jurken maar langzaam van model of
versiering. Om de zo veel jaar werd een rok nog wat wijder,
een borduursel nog mooier. Of moest er opeens een ladder
van grote strikken op de voorkant van een jurk. Of zakte de
halsuitsnijding een stukje.*

Het werk van Rose Bertin hield in dat zij een door een

kleermaker gemaakte 'kale' jurk (zonder versiersels dus)
modieus maakte met haar fournituren. Marie-Antoinette vond
Rose erg belangrijk. Toen ze een keer met de koning een
koetsritje maakte, zwaaide ze naar Rose in haar winkel aan de
chique rue Saint-Honoré. En Rose zwaaide vrolijk terug!

Altijd top: de spijkerbroek

Er is één ding waar de beroemde modeontwerper Yves
Saint Laurent spijt van heeft. Hij vindt het vreselijk dat
niet híj de spijkerbroek heeft uitgevonden! Ene Levi Strauss
was Yves voor. En waarom Yves dan zo'n spijt had? Nou,
de spijkerbroek raakt nooit uit de mode! Wie heeft 'm niet?
De spijkerbroek, ook jeans genoemd, bestaat al erg lang.
Maar zo hip als nu was-ie vroeger niet. Toen Levi Strauss
in 1849 van het Duitse Beieren naar Amerika emigreerde,
had hij geld nodig. In Californië, zijn nieuwe woonplaats,
had iedereen de 'goudkoorts'. Strauss zocht ook even naar
goudklompjes, maar hij had geen succes. Dat had hij wel
toen hij de spijkerbroek uitvond! Die was meteen populair
bij mijnwerkers, goudzoekers en later ook cowboys, die
zo'n sterke broek goed konden gebruiken bij hun zware
werk.
Het geheim van de broek waren de klinknageltjes. Deze
kleine spijkertjes zaten op plekken die anders snel scheuren,
zoals de hoekpunten van een zak. Overigens was de eerste
spijkerbroek beige! En van stevig tentdoek gemaakt.
In 1873 veranderde de kleur van de broek in blauw. De
nieuwe katoenen stof kwam uit het Franse plaatsje Nîmes.
En met een beetje fantasie lijkt Nîmes, wat uitspraak
betreft op denim, de naam van spijkerstof. Veel later, in de

jaren vijftig werd de werkbroek in Amerika ontdekt door rockers als Elvis Presley. In de bioscoop zag de jeugd in alle landen hoe stoer de filmsterren James Dean en Marlon Brando hun spijkerbroek droegen. Zo'n broek wilden zij ook! Want wat wás de jongerenmode saai en stijf in die tijd net na de Tweede Wereldoorlog. Helemaal erg waren de kleren van de ouders! Ma droeg truttige plooirokken met parelkettinkjes en pa zat stijf in het pak. Zo wilden pubers niet worden! De jeans bood redding! Al moesten kids voor zo'n dwarse broek wel naar werkkledingwinkels. Dat veranderde in de jaren zestig. Toen werden jeans ook in Europa hip. Daar zorgden de hippies wel voor (weet je meteen waar het woord hip vandaan komt). Van de hippie moest een spijkerbroek knetterstrak zitten. Zo strak dat je er alleen in paste als je eerst op bed ging liggen en je buik en je adem inhield. En dan maar proberen de rits dicht te krijgen! Bukken was op eigen risico.

Designersjeans, peperdure spijkerbroeken waarop met koeienletters op de kontzak de naam van een bekende modeontwerper staat, zie je vanaf de jaren zeventig. De eerste modeontwerper die miljonair werd dankzij jeans, was Gloria Vanderbilt (destijds erg bekend in Amerika). De Amerikaan Calvin Klein en de Italiaanse Armani werden ook in Nederland bekend dankzij hun dure spijkerbroeken.

En nu? Jeans zijn overal. Om als een van de vele jeansmerken op te vallen moet je tegenwoordig spijkerbroeken weggeven aan beroemdheden. Want een foto van Jennifer Lopez in een bepaald jeansmerk betekent gratis reclame. Jammer dus voor veel merken dat J-Lo nu ook zelf spijkerbroeken ontwerpt. En dan géén gewone, nee! Jeans met een diamanten knoop! Bling bling! Kassa!

Drapeer het zelf: een topje

Moeilijk? ○ makkie! ● mwoah... ○ ff doorbijten ○ hellup!?

Je kunt dit topje - bijna - maken zonder naaimachine.

Dit heb je nodig:

- *2 dunne sjaaltjes van ongeveer 15 cm breed*
- *1 koord van 50 cm*
- *een naaimachine*

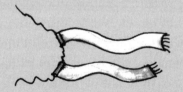

Zo doe je het:

- **Stik een tunnel aan het eind van elke sjaaltje.**
- **Trek het koord erdoorheen.**
- **Drapeer de sjaals kruislings over je borst.**
- **Doe hetzelfde op je rug.**
- **Op je buik leg je een knoop.**

Mode van héél lang geleden: Egypte van 3000 tot 322 voor Christus. Mannen in mini en vrouwen in het strak

Beroemdheden: koningin Nefertiti, de vrouw van farao Achnaton **Vrouwenmode:** *de kalasaris* **Mannenmode:** *de lendendoek (shenti)* **Trend:** *strakke jurken* **Accessoires:** *sandalen en waaiers van bladeren* **Make-up:** *groene oogleden en zwarte oograndjes* **Modekleuren:** *blauw, geel en rood* **Stof:** *linnen* **Uitvindingen:** *mummies, piramides, hiëroglyfen en weven* **UIT:** *echt haar* **IN:** *pruiken*

In Egypte worden nog steeds prachtig beschilderde mummies opgegraven. Daarom weten we dat de favoriete kleuren van de oude Egyptenaren blauw, geel en rood waren. Die felle kleurtjes zien er nu nóg fris uit! Al even verrassend is de Egyptische mode van duizenden jaren geleden. Hoe die eruitzag weten we precies, dankzij schilderingen op de binnenmuren van piramides.

Vrouwen zagen er erg verleidelijk uit in nauwsluitende jurken waarvan het model – een koker met mouwen – lijkt op ons T-shirt. De Egyptische vrouw droeg haar jurken superstrak. Én doorzichtig. Het belangrijkste kledingstuk van de man was al even gewaagd. Dat was een *shenti*, een heupschortje. Dat lijkt verdacht veel op ons minirokje. Shenti's waren er in allerlei soorten en maten. Hoe belangrijker de drager, hoe kunstiger de voorkant was gevouwen – bijvoorbeeld in de vorm van een driehoek.

De *kalasaris*, een doorzichtige, geplooide jurk, werd gedragen door zowel mannen als vrouwen. Ook dit

26

gewaagde kledingstuk zat behoorlijk strak. Gelukkig hadden mensen er meestal iets onder.

Egyptenaren hadden een hekel aan hun haar. Ze vonden het hartstikke vies. Zo vies dat ze liever een kaal hoofd hadden. De allerrijksten droegen gekleurde pruiken van gekrulde schapenwol, of soms toch ook van 'vies' mensenhaar (goedkoper, hè). De opzichtige pruiken beschermden het hoofd tegen de brandende zon, maar men vond ze ook mooi. Vrouwen hadden ontdekt dat als je een brokje geparfumeerde was op je pruik legde, dit smolt in de hitte. Het gevolg was een heerlijk ruikende én glimmende pruik.

Zich opmaken deden Egyptenaren ook. In musea van oudheden kun je nog de potjes zien waar ze hun zalfachtige schmink in bewaarden. Heel typisch was de oogmake-up. Het was modieus om je oogleden groen te verven en gitzwarte randjes om de ogen te tekenen.

Pikzwarte wenkbrauwen maakten het af. Handig was dat de zwarte kohl ook insecten op afstand hield.

In de tijd van de Egyptenaren werden de stoffen steeds mooier geborduurd met parels of kralen. De mooiste kleding werd gedragen door farao's. Deze koningen kun je altijd herkennen aan hun (valse) kinbaard, een teken van koninklijke waardigheid.

En de kinderen? Die liepen naakt in dit warme land. Maar ook volwassenen hadden geen last van schaamte. Bij zwaar werk deden ze lekker hun heupschortjes af.

Malle prehistorische mode

Stoere sieraden. De kettingen die holbewoners om
hun nek hadden pasten precies bij hun zelfgevangen
bontvelletjes. Logisch! Ze waren gemaakt van de
tanden van hun prooien!

Houten jurken. Deze 'vegetarische' jurken werden
gemaakt van boomschors. Nadat de schors van
de boom was gehaald, werd die soepel geweekt in
water en verder bewerkt. In Indonesië wordt soms
nog boomschorskleding gemaakt.

Soemerische rokken. 10.000 jaar geleden konden
mensen al draden spinnen. Maar stoffen weven kon
nog níét iedereen. Het Soemerische volk (rond 2900
voor Christus) maakte daarom rokken van strengen
wol. Dakpansgewijs knoopten ze strengetjes wol
rond hun middel.

Hoofdstuk 2

Hé, daar loopt een trend!

'Wat nu modieus is, was vijf jaar geleden heel erg opvallend. Over tien jaar zal het lelijk zijn, over twintig jaar belachelijk, en over zeventig jaar charmant.'
James Laver, modehistoricus

Gisteren wist je niet dat 'het' bestond. En vandaag moet je 'het' beslist hebben. Sterker nog: jij bent niet de enige die de laatste trend wil volgen. Het lijkt wel een spelletje dat plotseling iedereen wil spelen op school. Waar komt 'het' vandaan? Gezien in een clip? Of in een modetijdschrift?
Toch komen trends nooit zomaar uit de lucht vallen. Al denken veel mensen van wel. Trends worden gezet. Beroemde mensen als popsterren en filmsterren zijn echte trendsetters. Nadat Britney Spears 'Oops, I did it again' in een navelkort bloesje had gezongen, wilde iedereen zo'n kort topje.
Trends worden ook gezet op straat. Daar zijn de legerbroeken – met van die zakken aan de zijkant – populair geworden.
Modeontwerpers hebben de meeste invloed op trends. Foto's van de kleding die zij op de catwalks showen, staan steeds sneller in modetijdschriften of op internet. Zo zijn heel veel mensen meteen op de hoogte van de nieuwste mode. Sommige ideeën worden meteen

opgepikt. Eerst door een stel voorlopers. Vervolgens
'sijpelen' ze door naar de nalopers.
Een trend duurt nooit lang. Anders zou het geen trend
heten. Steeds komen er weer nieuwe trends. Daarom
is iedereen altijd weer razend benieuwd naar 'verse'
modeshows. Dan krijgt dat nieuwe silhouet of die aparte
broek, waar we een halfjaar geleden nog niet dood in
gevonden wilden worden, opnieuw een kans!

Een trend met een lange nek

Een indrukwekkende gebeurtenis kan ook een trend
opleveren. Zoals de komst van de eerste giraffe in
Frankrijk. In 1827 kwam in de havenstad Marseille per
boot een giraffe binnenvaren. Het exotische wezen was
een geschenk van een Egyptische sultan aan de Franse
Koning Karel x.
Nooit eerder hadden de Fransen zo'n geel-bruin gevlekt
beest gezien. De koning stelde zijn giraffe tentoon in zijn
eigen Parijse dierentuin. Vanaf het moment dat Zarafa,
zo heette zij, in de dierentuin woonde, kwamen er meer
dan 100.000 mensen kijken. Zarafa was dan ook een
echte attractie. Ze had zelfs kleren aan! Op haar hoofd
zat een mutsje en om haar nek was een cape gestrikt. Ze
trokken haar zelfs laarsjes aan!
Maar een echte trendsetter werd Zarafa vanwege
haar lange nek. Die bracht vrouwen op een idee:
het torenhoge kapsel - *coiffure à la giraffe*. Dankzij dit
trendsettende giraffekapsel, waarbij vrouwen hun haar zo
hoog mogelijk op hun hoofd stapelden, leken ze langer.
Ze moesten opeens in de koets op de grond zitten!

Naast het giraffekapsel waren er ook tasjes met
geborduurde giraffen te koop (die kun je bewonderen in
het Amsterdamse Tassenmuseum Hendrikje). Er waren
giraffeschilderijen, en wie het wilde kon zelfs zijn muren
behangen met giraffebehang. Zo zie je wat een trend
teweeg kan brengen!
Met Zarafa liep het eigenlijk best goed af. Je kunt haar
zelfs nog steeds bekijken. Opgezet, dat wel. Ze staat in
een museum in het Franse plaatsje La Rochelle, vlak bij
het aapje van keizerin Joséphine. Een andere trendsetter.

Over voorlopers (gluurders) en nalopers

In de mode heb je voorlopers en nalopers. Er gaan
geruchten dat voorlopers voelsprieten op hun hoofd
hebben. Daarmee vangen ze de nieuwe modetrends op.
Zie je het voor je? En klinkt dat niet vaag?
Laten we het erop houden dat trendwatchers - zo

heten deze gluurders – hun ogen niet in hun zak hebben!
Eigenlijk zijn het net sponzen. Of ze nou muziekclips
kijken, bij de bakker staan of langs een schoolplein lopen,
altijd absorberen ze kledingstijlen.

Wat ze met al die informatie doen? Als ze slim zijn, dan
maken ze van dit talent hun beroep. Als trendwatcher
kunnen ze dan de mode-industrie vertellen wanneer
mensen aan paars toe zijn. En wanneer vrouwen
onweerstaanbaar veel zin in minirokjes krijgen.

Nalopers zijn het tegenovergestelde van voorlopers. Zij
hobbelen maar wat achter de mode aan. Dat doen de
meeste mensen. Het is niet zo dat deze trendvolgers niet in
mode geïnteresseerd zijn. Ze moeten alleen eerst iets een
paar keer gezien hebben voordat ze het zelf aantrekken.
Als ze dan zeker weten dat ze niet voor gek staan, dan
durven ook zij die oversized sweater met capuchon of die
lange wijde hippierok aan.

gouden inspiratie moderegels

SMEÉÉÉK JE OUDERS OM:

- een abonnement op *Vogue*
- een kostuumgeschiedenisboek
- reisjes naar dé modesteden Parijs, Milaan en Londen
- een échte leren kofferset (voor je modereisjes)
- een kledingkast zo groot als je slaapkamer
- een strijkijzer en strijkplank die zo goed zijn dat het een feest is om je kleren te strijken

Smachten naar Pandora

Er zijn verschillende manieren om op de hoogte te blijven van modetrends. Je koopt een modeblad, je gaat winkelen, je surft op modesites. Je kunt ook chatten op een hippe website om uit te vinden of je broek binnenkort nóg lager op je heupen moet hangen.

Vroeger, zo'n driehonderd jaar geleden, volgden mensen ook de mode, maar toen ging het ingewikkelder. Ze bestudeerden poppen. En dat waren geen Barbies. Deze modepoppen waren soms zo groot als volwassen mensen! De poppen gingen gekleed volgens de laatste Franse modesnufjes - inclusief kapsel en schoenen - en werden vanuit Parijs één keer per maand naar alle belangrijke steden in Europa gestuurd.

Heel wat vrouwen smachtten naar de komst van Pandora. Zo heette de modepop die de laatste modetrends onthulde. Nadat een kleermaker een jurk nauwkeurig had bestudeerd maakte hij een exacte kopie.

Modeprenten en de komst van modebladen zoals *Cabinet des Modes* in 1785 maakten een eind aan de reizende modeshow. Pandora kon terug in haar doos. Inmiddels is iedereen haar vergeten.

Oh ja, het kopiëren van kleding hebben de mensen nog niet afgeleerd. De meest geslaagde na-aapmode vind je bij de fastfoodketens van de mode: H&M, Zara en Mango.

Alweer een ander silhouet

In de mode wordt vaak gepraat en geschreven over silhouetten. Je leest dan bijvoorbeeld: 'Voor de komende zomer is het silhouet getailleerd.' Maar wat is een silhouet? Dat wordt duidelijk als je naar iemand kijkt en je ogen bijna dichtknijpt. Door je ooghaartjes zie je dan een omtrek. Kleine dingetjes als knopen, de stofsoort en zakken vallen weg. Het silhouet blijft over.

Het was vroeger normaal dat één silhouet jarenlang in de mode was. Zo was de mode in de jaren twintig van de vorige eeuw sluik vallend. Dat betekent dat de kleding niet strak zat, maar recht naar beneden viel. Een beetje sloom dus. Vrouwen zagen er toen uit als een spaghettisliert. Maar wel een heel chic.

Sommige modeontwerpers zijn bekend geworden vanwege een bepaald silhouet. Zo brak Azzedine Alaïa in de jaren tachtig door met superstrakke, gestroomlijnde jurken. Rond dezelfde tijd veroverde de Japanner Yohji Yamamoto de modewereld met zijn rommelige laag-over-laagsilhouet. Dit werd ook wel de uienlook genoemd.

1475   *1525*   *1610*   *1640*

1700   *1770*   *1800*   *1825*

1850   *1872*   *1885*   *1890*

Een jurk als een Y

Vijfentwintig jaar later kwam er een compleet ander silhouet. Dat kwam door Christian Dior. Het grappige was dat hij zijn silhouetten naar letters noemde. Zo bedacht hij in 1947 de x-lijn. Kun je je er iets bij voorstellen? Bij dit silhouet waren de schouders een beetje breed, de taille erg smal, en liep de rok tot kniehoogte

breed uit. Elk jaar bedacht Dior een nieuwe letter. Bij de
Y, I en H heb je meer fantasie nodig om je er iets bij voor
te stellen dan bijvoorbeeld de A. De A-lijn uit 1958 begon
bij de borst en liep wijd uit. Net een driehoek.

Kan ik trendspotter worden?

Zeker. Begin zo jong mogelijk met oefenen. Dat betekent
veel kijken. En nieuwsgierig zijn! Let niet alleen op
dingen die je zelf mooi vindt. Want dan mis je zeker een
trend! Hoe meer je ziet (en onthoudt), hoe beter.
De kunst van het trendspotten is iets nieuws opmerken.
Eigenlijk moet je je de hele tijd afvragen: 'Hé, heb ik dat
model broek al eerder gezien? En waar komen die bling-
sneakers opeens vandaan?' En stel, je ziet voor de derde
keer iemand met een gestippeld mutsje op zijn hoofd. Dan
weet je het zeker: je hebt een trend gespot!

Bijna alles over Coco Chanel (1883-1971)
Er was eens een arm meisje. Omdat ze geen ouders meer had,
woonde ze in een weeshuis... Geloof jij in modesprookjes? Ze
bestaan!
Dat meisje was Gabrielle Chanel. Haar leven laat zich
vertellen als een sprookje. Gabrielle – of Coco, zoals ze liever
genoemd wilde worden – wilde het liefst actrice worden, of
zangeres. Toen dat niet lukte ging ze maar hoedjes maken.
Die vond iedereen mooi. Ze waren zo prachtig dat rijke
mannen haar geld gaven om haar eigen winkeltje te openen.
En dat werd een succes!
Wereldberoemd en superrijk werd Chanel dankzij haar
kleding, parfums en tassen. Chanel leefde erg lang en best
gelukkig. Ze stierf in het peperdure Ritz-hotel in Parijs, waar

ze ook woonde. Ze werd begraven in een roze Chanel-pakje.
Tegenwoordig prijken Coco's initialen – twee in elkaar
gehaakte c's – nog steeds op alle kleren van het modehuis, én
op nog veel meer producten.

De vrouwenkleren die Chanel vroeger ontwierp waren
voor die tijd erg modern. Zo maakte ze, bijna honderd
jaar geleden, eenvoudige rechte truitjes en jurken. Zulke
gemakkelijke kleding bestond toen nog niet. Vrouwen zaten
nog 'gevangen' in lange strakke jurken van dikke stoffen met
borduursels. Chanel maakte haar soepel vallende kleding van
tricot. Een gewaagd idee, want van deze gebreide stof werd
toen alleen maar herenondergoed gemaakt!

Chanel tekende haar ontwerpen nooit. Ze drapeerde, knipte
en speldde een mooie stof op een meisje, net zo lang tot
het goed zat. Zo maakte ze de mooiste avondjurken van
bijvoorbeeld kant, een van haar handelsmerken.

In de jaren dertig werkten er duizenden mensen voor Chanel.
Zij naaiden de kleding voor in de winkels en maakten
de bestellingen voor heel rijke privéklanten en filmsterren
precies op maat. Het Chanel-pakje is misschien wel het
allerbekendste ontwerp ter wereld. Het bestaat uit een recht
rokje, dat net over de knie valt. (Chanel vond knieën
foeilelijk.) Typerend aan het korte, rechte jasje zijn de ronde
kraag, de wollen tweedstof en de contrasterende biesjes waar
het helemaal mee afgezet is.

Chanel maakte talloze mantelpakjes. Voor het geld had het
niet gehoeven. Dankzij het grote succes van haar parfum
Chanel N°5, dat Coco al in 1921 verkocht, stroomden de
miljoenen aan de Parijse rue Cambon binnen.

Tegenwoordig maakt haar opvolger Karl Lagerfeld zowel
van de Chanel-tasjes als -jasjes variaties in alle kleuren en
(mini)maten. Van Karl mogen superkorte rokjes wel.

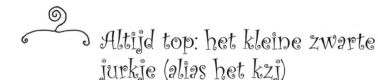

Altijd top: het kleine zwarte jurkje (alias het kzj)

Geen vrouw kan leven zonder een klein zwart jurkje. Dit is typisch zo'n modeweetje dat telkens weer opduikt in de bekende lijstjes. Maar is het ook waar?

Coco Chanel gaat de geschiedenis in als de eerste ontwerpster van het kleine zwarte jurkje. Al in 1926 was het simpele modelletje in de Amerikaanse *Vogue* te bewonderen. Bijzonder aan het ontwerp waren het rechte model en de soepel vallende stof. Maar écht revolutionair was de kleur. Zwart werd in die tijd vooral gedragen als mensen rouwden.

Chanel was dus een echte durfal toen ze zwart uitkoos voor een klein avondjurkje. Het commentaar was niet van de lucht! Toen een oude collega van Chanel, Paul Poiret, voor het eerst het rechte jurkje zag, vond hij het meisje dat het droeg net een lantaarnpaal. Ook vroeg hij aan Chanel of ze soms in de rouw was. 'Ja,' antwoordde de bijdehante Chanel, 'om jou!' Ze bedoelde dat ze het stom vond dat Poiret nog steeds van die ouderwetse lange jurken maakte van zware fluwelen stoffen.

Tot zover het jurkje.

De ideale draagster van het KZJ was de actrice Audrey Hepburn. Nog steeds vallen mensen in katzwijm als ze haar naam horen. En dat terwijl de filmactrice al jaren dood is! De als een stopnaald zo dunne Hepburn leeft voort in vele films, waarin ze opvallend vaak het KZJ draagt. Saai? Nou nee, het was het toppunt van elegantie. Maar wat is nou het geheim achter het eeuwigdurende succes van het KZJ? Volgens de Franse Didier Ludot,

verzamelaar van kleine zwarte jurkjes, is het KZJ n
gebonden aan leeftijd: 'Mijn klantenkring varieer
twintig tot zeventig jaar. Vergeet niet dat het jurkje
iedereen flatteert (lees: slank maakt) en dat je het bij elke
gelegenheid en in elk seizoen kunt dragen.' Tja, bedenk
maar eens een kledingstuk waarvan je dat ook kunt
zeggen! Ben je er nu van overtuigd dat een leven zonder
KZJ ondenkbaar is?

Strijk het zelf: een T-shirt met print

Moeilijk? ● **makkie!** ○ **mwoah...** ○ **ff doorbijten** ○ **hellup!?**

Zin in een origineel T-shirt? In een handomdraai heb je er een!

Dit heb je nodig:

- *een T-shirt van katoen*
- *T-shirtfolie (transferpapier waar je een afbeelding op kunt printen die je daarna op je T-shirt kunt strijken. Te koop bij de hobbywinkel)*
- *een strijkijzer*
- *een kleurenprinter/scanner waarmee je kunt kopiëren*
- *een afbeelding van bijvoorbeeld je idool of je favoriete dier*

Zo doe je het:

- Leg een velletje folie in de lade van de kleurenprinter.
- Maak een kopie van je favoriete afbeelding. (Ligt het papier goed?)
- Knip de afbeelding netjes uit.
- Trek de afbeelding van het papier.
- Leg je afbeelding recht op het T-shirt.
- Leg het bijgeleverde kalkpapier erover.
- Zet het strijkijzer 30 seconden op je afbeelding (niet stomen).
- Laat alles afkoelen, en trek dan het vel eraf.

Mode van héél lang geleden: Griekenland en Italië, van 500 voor tot 500 na Christus. Mannen in mantels van gouddraad en vrouwen in geweven lucht

Beroemdheden: Plato, Caesar, Nero en koningin Cleopatra
Vrouwen- en mannenmode: gedrapeerde gewaden (chitons)
Accessoires: mooie spelden en broches die stof bijeenhouden, zonnehoedjes van stro, sandalen *Kapsel:* Romeinse vrouwen blonderen hun haar met bleekmiddelen en in de zon
Modekleuren: felle kleuren! Rood en geel, goud (niet alleen wit, zoals mensen vaak denken) *Stoffen:* linnen, wol en zijde
Uitvindingen: de verlovingsring, het Caesar-kapsel met erg korte pony, de Cleopatra-look
UIT: de lendendoek **IN:** de toga

Meer dan duizend jaar voor Christus introduceerden de Grieken kledingstukken die losjes om het lichaam zaten. Naald, draad en schaar kwamen hier niet aan te pas. En toch waren de variaties eindeloos. Het meest gedragen vrouwenkledingstuk was de wollen *peplos*, een lange jurk waarvan de stof aan de bovenkant dubbelgeslagen werd en bij de schouders vastgezet met een mooie speld. Een ceintuur rond het middel zorgde voor mooie plooien. Een trend - gezet door de Grieken - was de *fascia*, een voorloper van de beha. Vrouwen wikkelden repen stof om hun borst die hun boezem omhoogdrukten. Omdat jassen nog niet waren uitgevonden, waren korte mantels, *clamys*, populair. Een *himation* was een lange mantel (eigenlijk een lap stof van 2 bij 3 meter); men sliep hier ook in.
Een kledingstuk dat lijkt op ons t-shirt is de tunica, een hemd met mouwtjes. De duurste werden gemaakt

van Chinese zijde. Deze stof was zo dun dat hij ook wel
'geweven lucht' werd genoemd.

Vanaf 200 voor Christus verloren de Grieken hun macht.
De Romeinen werden de baas in Europa en de landen
rond de Middellandse Zee. De Romeinen leerden veel van
de Grieken en beschouwden ze in wetenschap en literatuur
als hun grote voorbeelden. Maar zelf konden ze ook wat.
Zoals natuurlijk het organiseren van een enorm rijk als dat
van Caesar: hij was van Nederland tot Egypte de baas.
Op het gebied van kleding hebben de Romeinen de
weelderige geplooide *toga* bedacht. De basis van dit
ontwerp is een ovale linnen lap van 4,5 meter lang en
3 meter breed. Honderden jaren - van 200 jaar voor
Christus tot het einde van het Romeinse Rijk (rond 500 na
Christus) - bleef de toga mode. Arbeiders droegen ze kort.
Lange lappen stof zouden maar in de weg hangen.

Hoofdstuk 3

Inspiratie: waar halen ze het toch vandaan?

'Mode is niet iets wat alleen uit jurken bestaat. Mode is iets wat in de lucht zit. Het is de wind die de nieuwe mode aandraagt. Je voelt haar komen, je ruikt haar. Mode is in de hemel, in de straat, mode heeft te maken met ideeën, de manier waarop we leven, wat er gebeurt.'
Coco Chanel

Wereldjurken

'Oehhhoe, ik heb geen inspiratie!' Als een ontwerper zo piept, is het niet best. Dan kan hij beter uitkijken naar een ander beroep! Maar de meeste modeontwerpers hebben niets te piepen of te klagen. De inspiratie blijft ze maar aanwaaien. Dat klinkt alsof ze er helemaal niets voor hoeven te doen. Nou, vergeet dat maar. De meeste ontwerpers bezoeken vaker dan jij een museum en kopen zich arm aan kunstboeken. Sommigen kunnen beter in een bioscoop of theater gaan wonen, zo vaak komen ze daar.

Weer anderen reizen zich suf. Zoals John Galliano. Deze Engelse ontwerper is dol op reizen. Dat zie je terug in zijn kleding. Alle werelddelen komen voorbij in zijn jurken, truien – en ja, zelfs in zijn schoenen. Een reisje naar Egypte resulteerde in avondjurken waar Cleopatra jaloers op zou zijn geweest. Na een Weens tripje, waar honderdvijftig jaar geleden de Oostenrijkse keizerin

Sissi in haar paleizen woonde, liepen zijn modellen er net zo sprookjesachtig in hoepelrokken bij als Sissi. Mét kroontjes op hun mooie hoofdjes.

Nee, inspiratiedipjes kent deze reislustige Brit niet. En stel, hij heeft een keer geen zin om zijn koffers te pakken, zelfs dan zit hij niet om ideeën verlegen. Want op zijn favoriete thema - voddige zwervers - raakt de besnorde couturier nooit uitgekeken.

Je vraagt je af waarom al die ontwerpers zich zo in het zweet werken, want inspiratie kun je dichtbij - ja, zelfs gewoon op straat vinden!

Stofstalen scoren in Parijs

Stof is nodig om een modecollectie te maken. Op de beroemdste en grootste stoffenbeurs ter wereld, de Parijse Première Vision, is de stofkeus enorm. Alhoewel er heus ook ontwerpers zijn die hun stofjes gewoon op de plaatselijke markt kopen. Maar daar vind je niet de stoffenmode voor volgend jaar. Daarom 'winkelen' modeontwerpers uit de hele wereld op een stoffenbeurs. Daar kunnen ze niet zomaar een paar meter stof kopen en thuis meteen aan de slag gaan. Eerst moeten er 'stalen' worden besteld. Dat zijn lapjes stof die - als het goed is - ideeën opleveren. Pas als die ene lap glanzende zijde geschikt blijkt voor de ultieme flaneerjurk, en dat harige stuk wol mooi voor een fantastische jas, volgt er een grote stofbestelling.

Zelf stoffen ontwerpen kan natuurlijk ook. Dan heeft niemand anders hetzelfde! De Japanner Issey Miyake ontwikkelt heel speciale stoffen. Zo bedacht hij de ergste gekreukte stof die je maar kunt verzinnen. De kleding van deze stof ziet er op het eerste gezicht niet uit: heel klein en vreselijk gekreukeld. Tot je het aantrekt. Dan gebeurt er een wonder. De kreukels rekken als een gek, en het topje of jasje zit als gegoten!

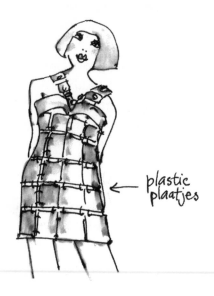

plastic plaatjes

De maanmeisjes zijn geland!

Waarom zou kleding eigenlijk altijd van stof moeten zijn? Vijftig jaar geleden dachten een paar ontwerpers dat het ook wel anders kon. Dat had alles te maken met een grote gebeurtenis. In 1961 maakte de eerste kosmonaut, Yuri Gagarin, een ruimtevlucht om de aarde. Deze sciencefiction-achtige prestatie maakte een verpletterende indruk op modeontwerpers als Pierre Cardin, André Courrèges en Paco Rabanne. Hun modeverstand sloeg ervan op hol! Ze kregen ontzettende zin om kleding te gaan maken van allerlei ongebruikelijke materialen zoals aluminium en plastic. De 'bewegende' jurken van Paco

Rabanne bestonden uit ontelbare ijzeren ringetjes of plastic plaatjes. Pierre Cardin bedacht, geïnspireerd door de kosmos en satellieten, satellietjurkjes met uitstekende bollen. Alle kleding van André Courrèges was zilver, wit en kort. Hij maakte jurkjes met dezelfde kijkgaten die in astronautenhelmen zaten. Als je een stel van de bijpassende glimmende laklaarsjes of een buitenmodel zonnebril kon betalen, dan was je het hipste meisje van de klas.

De meeste van deze waanzinnige Space Age-ontwerpen waren peperduur. En ondraagbaar. Maar... we kunnen nog altijd genieten van deze fantasierijke mode. Musea exposeren regelmatig de strakke en felgekleurde kleding. Daar staan ze dan - nog even fris en modern als vroeger - naast de plastic sculpturen en futuristische meubels van kunstenaars uit dezelfde tijd. En nog altijd vormen deze bijzondere ontwerpen een onuitputtelijke inspiratiebron voor ontwerpers van nu.

WIJZE MODETIPS

VAN DE BEROEMDE MODETEKENAAR PIET PARIS

- Trek altijd iets aan wat je moeder níét leuk vindt.
  Dan weet je meteen dat je hartstikke cool bent!
- Je ondergoed is even belangrijk als je nieuwste spijkerbroek.
- Als je gepest wordt met je kleren, roep dan gewoon dat je vooruitloopt op de mode.
- Oranje trek je alleen aan als je voetbalsupporter bent.
- Als je nieuwe modetips zoekt, kijk dan ook in buitenlandse modebladen.

Eeuwige inspiratiebronnen:

ONDERWERPEN WAAR MODEONTWERPERS NOOIT GENOEG VAN KRIJGEN

Alles wat de kunstenaar **Andy Warhol** ooit heeft gemaakt - de pastelkleuren van impressionistische kunstenaars als **Claude Monet** en **Edgar Degas** - folklore - de sexy uitstraling van fifties-sexbom **Marilyn Monroe** - dierenprints - dé **Kate Mossen** van toen: **Twiggy** en **Edie** - graatmagere fotomodellen uit de jaren zestig - gebreide twinsets en knielange capribroeken uit de jaren vijftig - **Brigitte Bardot** met tuitlipjes en ruitjes - kant - de elegantie van **Audrey Hepburn** - de romantische jurken van **Marie-Antoinette** - het mantelpakje van **Chanel** - zwart-wit, goud en zilver - de glitter van **Las Vegas** - de glamour van prinses **Gracia van Monaco** - bont en veren - de koele uitstraling van de Franse actrice **Catherine Deneuve** - **David Bowie** als glamrocker **Ziggy Stardust** - de swingende jaren zestig - de primitieve schilderijen van de Mexicaanse **Frida Kahlo** - de chique look van **Jackie Kennedy** - de sfeer van kunstzinnige films - militaire kleding - marine - alle soorten bloemen - strepen - ruiten - stippen - sprookjes - oosterse kaftans - punk - Chinese jurkjes - Russische tsarinajassen - Roemeense zigeunerrokken - Japanse kimono's - Indiase sari's - Griekse gewaden - Spaanse flamencorokken - **Biba**-jurken - **David Bowie** als **David Bowie** - alle mode uit de jaren tachtig - de strakheid van **Mondriaan** - Minimalisme uit de jaren negentig

Als ontwerper kun je ook gewoon dicht bij huis blijven.
Er zijn genoeg ontwerpers die inspiratie putten uit hun
geboorteland. En daar zelfs bekend mee werden. Zoals
de Griekse modeontwerpster Sophia Kokosalaki - de
bedenkster van de openingsceremonie van de Olympische
Spelen 2004 in Athene. Zij drapeert jurken zoals haar
verre voorouders het duizenden jaren geleden al deden.
De Engelse Vivienne Westwood maakt broeken en jasjes
van traditionele Engelse ruitjesstoffen en ouderwetse
tweed. En laten we niet haar avondjurken vergeten. Die
maakt ze van stoffen met dezelfde romantische tafereeltjes
als die de Britse achttiende-eeuwse kunstenaar Thomas
Gainsborough schilderde.
Nog steeds kan de Fransman Jean Paul Gaultier niet
genoeg krijgen van het Franse blauw-wit gestreepte
matrozentruitje. Ze zitten niet alleen jaren in zijn collectie,
de sportieve strepen sieren zelfs Gaultiers peperdure
couturejurken. En zelfs zijn mannenparfumflesje heeft het
truitje aan.
De kleding van de Italiaanse Dolce & Gabbana is niet
voor niets supersexy. De keren dat het modeduo zich
door een zwoele Italiaanse filmster als Sophia Loren liet
inspireren zijn niet te tellen.
De eerste Nederlandse ontwerper die de modewereld
verovert met iets typisch Nederlands moet nog komen. Het
is toch best mogelijk om succes te hebben met een rok vol
tulpen?

Hoe word ik een beroemd modeontwerp(st)er?

Daar is geen recept voor. Maar als het wel zou bestaan, dan zijn deze ingrediënten onmisbaar: talent, passie, eeuwige inspiratie en doorzettingsvermogen.

Het is verstandig om naar een school te gaan waar je kunt leren voor modeontwerper. In Nederland stikt het daarvan. Op een kunstacademie of modeacademie leer je de belangrijkste vaardigheden, zoals ontwerpen, patronen tekenen en kleding naaien. Op een kunstacademie ligt de nadruk vooral op het verhaaltje rondom de kleding. Ook wordt er iets meer creativiteit van je verwacht dan op een modeacademie.

Om na je afstuderen beroemd te worden – zodat iedereen van Parijs tot Tokyo je naam kent – heb je bergen geld nodig. Heb je dat niet? Zoek dan iemand die er wel in zwemt. Wie betaalt anders je stoffen, je winkel, de modeshows, modellen en je inspiratie-modetripjes?

Maar waarom zou je per se beroemd moeten worden? Modeontwerpers bestaan in alle soorten en maten. Veruit de meeste modeontwerpers staan nooit in de schijnwerpers. Zij werken bijvoorbeeld voor een groot kledingmerk of runnen hun eigen winkeltje. En als echt niemand je ontwerpen wil, dan kun je altijd nog je eigen kleren maken!

Bijna alles over Christian Dior (1905-1957)

In 1946 vond Christian Dior een kleine roestige ster op straat. De toen al bijna veertigjarige Dior – die geen idee had wat hij nou precies wilde worden – beschouwde het metalen sterretje als een gelukkig voorteken. Hij had gelijk. Want een jaar na zijn vondst schreef Christian Dior modegeschiedenis.

Om precies te zijn op 12 februari 1947. Onthoud die datum!
Op deze winterse dag was er sprake van een modemoment.
Toen showde Christian Dior een gloednieuw silhouet. Het
bestond uit een strak jasje met een smalle middel (wespentaille)
en een extreem wijde rok. Modejournalisten doopten deze
nieuwe kleedstijl de New Look. Het werd een groot succes.
Zo verwonderlijk was dat niet. De Tweede Wereldoorlog
was amper twee jaar voorbij. In de oorlogsjaren, en vlak
daarna, zag kleding er heel anders uit. Vrouwenkleding was
uniformachtig. Jasjes hadden strenge, brede schouders. En bij
gebrek aan stof werden de rokken steeds korter en strakker.
Het opvallendst aan de New Look was vooral dat deze veel
vrouwelijker was dan de oude mode.
Toen Christian Dior deze elegante look bedacht, werkte hij
pas in de mode. Als mode-illustrator had hij een beetje succes,
en ook kochten modeontwerpers soms zijn hoedenontwerpen.
Modeontwerper hoefde hij niet per se te worden. Nee, dan was
hij liever architect.
Het toeval besliste anders. Dat kwam zo. Op een dag
liep Dior een oude bekende, René Boussac, tegen het lijf.
Boussac was eigenaar van enkele stoffenfabrieken en zocht een
modeontwerper. Dior zei dat hij geen geschikte persoon wist.
Maar waarom, dacht hij, zou hij zelf die baan niet aannemen?
In een mum van tijd had Dior zijn eigen couturehuis, en 85
mensen in dienst. En toen Dior zijn eerste collectie showde, die
met die dansende rokken en jasjes met smalle tailles, werd hij
in één klap wereldberoemd.
Boze tongen beweerden overigens dat Dior zulke wijde rokken
móést maken van de meneer van de stoffenfabriek. Ook
spraken sommige mensen schande van die stofverslindende
rokken. Ze riepen: 'Wat een overbodige luxe, zo vlak na de
oorlog!' Maar daar waren de meeste vrouwen het toch niet mee

eens. Die snakten juist naar de New Look met de luxueuze, vrouwelijke uitstraling.

Christian Dior was gek op bloemen. Hij versierde vele van zijn jurken met bloemenborduursels. Favoriet waren lelietjes-van-dalen en rozen. De modeontwerper vond deze bloemen niet alleen mooi, maar ook zo lekker ruiken dat hij er parfums van liet maken. 'Zonder parfum geen jurk,' heeft Dior eens gezegd. Vanaf 1947 bedacht hij niet alleen elk jaar een nieuw silhouet, maar ook een bijpassend parfum. Zijn eerste parfum heette Miss Dior en was vernoemd naar zijn kleine zusje. Je kunt de geur nog altijd kopen. Jammer dat Dior het niet meer kan meemaken. Tien jaar na zijn succesvolle start was de magie van zijn geluksster uitgewerkt. De ontwerper overleed tijdens een vakantie.

Zijn modehuis bestaat nog steeds. Een tijdlang was de piepjonge Yves Saint Laurent er de ontwerper en tegenwoordig bedenkt John Galliano de kleding van Dior. Oh ja, de ster is er ook weer bij. Hij flonkert als logo op de parfumflesjes.

Altijd top: de bikini

Wist jij dat een explosie ooit inspireerde tot de bikini? Op de eilandengroep Bikini (in de buurt van het tropische Hawaï) werden in 1946 namelijk atoombommen getest. Wereldwijd stonden de kranten vol met dat nieuws. Deze politieke gebeurtenis inspireerde modeontwerpers tot het kiezen van nogal explosieve namen voor hun ontwerpen. Zo bedacht de couturier Jacques Heim de naam 'Atome' voor een navelbedekkend badpak in twee delen (met hoge broek dus!).

De badkledingontwerper Louis Réard bedacht voor
een veel kleinere versie hiervan de naam 'bikini'. De
Fransman showde zijn tweedelige badpak voor het
eerst tijdens een schoonheidswedstrijd. Het ontwerp
was zo 'bloot' – het was immers 1946 – dat geen
model het durfde te showen. Op één meisje na. Als
stripteasedanseres was Micheline Bernardini wel iets
gewend. Maar de schoonheidswedstrijd won ze niet.
Eigenlijk ook weer wel. Want de fotografen hadden
alleen oog voor Bernardini in die 'schandalige' bikini!
In de jaren vijftig dankten idolen als Marilyn Monroe
en Jayne Mansfield hun carrière aan de bikini. Met
hun mooie, in bikini gestoken lichamen poseerden zij
schaamteloos aan de rand van een zwembad, dat slechts
diende als decor.
De rappende idolen van nu als Lil' Kim en Missy Elliott
hebben het zwembad niet meer nodig als excuus om zich
te hullen in een sexy bikini. In hun clips zien we ze ook
zonder een spatje water in de buurt bijna bloot.

Knip het zelf:
een winters (rood)kapje

Moeilijk? ○ makkie! ● mwoah... ○ ff doorbijten ○ hellup!?

Dit onalledaagse ontwerp is geïnspireerd op de middeleeuwse kaproen, de muts met schouderstuk die ridders droegen. Deze capuchon met kleine cape eraan vast lijkt een verre voorloper van je sweater met capuchon. Knip eens een kaproentje.

Dit heb je nodig:

- *een sweater met capuchon*
- *een schaar*
- *een textielpotlood*

Zo doe je het:
- Leg de sweater plat op zijn rug, met de capuchon omhoog.
- Teken een gebogen lijn vanaf de schouder naar het midden van de sweater.
- Knip over de lijn.
- Om de andere helft hetzelfde te krijgen, vouw je de sweater dubbel.
- Trek eerst een lijn.
- Is het symmetrisch? Knippen maar!

Mode van héél lang geleden: de vroege Middeleeuwen van 500 tot 1200. Mannen in beenlingen en vrouwen met vlechten

*Beroemdheden: keizer Karel de Grote, ridder Richard Leeuwenhart **Vrouwen- en mannenmode:** korte en lange onderhemden (tunica's) **Accessoires:** ceintuurs, houten overschoenen die beschermen tegen viezigheid, haarvlechten met ingevlochten linten **Trend:** knopen als sieraad, edelstenen **Modekleuren:** felrood, gevolgd door blauwe en groene tinten. Maar alleen voor de rijken. Het volk draagt bruine en grauwe tinten **Stoffen:** linnen, zijde, wol, bont **Uitvinding:** hemden van ijzeren ringetjes (maliënkolders)*
UIT: geplooide gewaden als de toga IN: kruistochten

In de vroege Middeleeuwen droegen mannen onder hun rechtvallende hemd een stel beenlingen. Dit waren losse broekspijpen die je met een beetje fantasie kunt zien als een broek. Maar dan wel een doe-het-zelfbroek. Want de beenlingen werden met reepjes stof aan een band geknoopt die om het middel zat. Voor vrouwen zouden broeken nog duizend jaar verboden blijven. Dankzij de ontdekking van het rijgen, met een veter door gaatjes, maakten ze stiekem hun overhemdachtige jurken (*surcottes*) wat strakker. Van de kerk mocht pronken met het lichaam niet.

Nieuw en handig was de gordel. Dit was een soort ceintuur waaraan vrouwen een tasje, sleutels en haarspelden konden hangen.

Vanaf ongeveer het jaar 1000 vonden er acht kruistochten plaats. Dit zijn lange gewapende tochten - die járen duren - die gelovige christenen vanuit Europa naar het Heilige Land rond de stad Jeruzalem ondernemen.

Daardoor kwam de handel met de moslimwereld op
gang. Ook deden kruisvaarders mode-inspiratie op in het
Oosten. Ze omarmden de felle kleuren, en importeerden
luxeartikelen als geborduurde stoffen als damast en
edelstenen en bijzondere sieraden.

Vanaf 1200 krijgt de kleding een steeds betere pasvorm.
Dat kwam door de oprichting van gilden, verenigingen
van vakmensen. Dankzij het kleermakersgilde veranderde
het maken van kleren van huisvlijt in vakwerk.

Ook ontstond er zoiets als mode. In de Middeleeuwen
'las' men aan de kleding iemands belangrijkheid af.
Familiewapens, geborduurd op kleding, hielpen daarbij.
Adellijke personen waren te herkennen aan met edelstenen
bezette handschoenen en een dokter aan zeemleren
exemplaren. IJdele mensen die zich boven hun stand
kleedden, werden gestraft. 'Weeldewetten' verboden
gewone burgers bont en zijde te dragen. Dit betekent niet
dat ze ook altijd gehoorzaamden. Een Franse koningin
riep eens toen ze in België kwam: 'Ik dacht dat ik de enige
koningin was, maar ik zie er wel zeshonderd.'

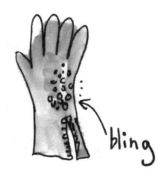

bling

Hoofdstuk 4

Van haute couture tot confectie

'Modetrends komen en gaan, maar mijn stijl is voor altijd.'
Yves Saint Laurent

Haute couture is al jaren ten dode opgeschreven. Het verhaal gaat dat het aantal klanten nog maar een paar honderd is. Natuurlijk, er zijn veel meer rijke vrouwen die de 'hogere kleermakerskunst' kunnen betalen. Maar die hebben geen zin om tienduizenden euro's voor een couturestuk neer te leggen. Want om dat soort bedragen gaat het als je een kledingstuk op maat wilt.

'Dat is makkelijk geld verdienen,' denk je misschien als je handig met naald en draad overweg kunt. 'Ik ga naar Parijs om daar couturejurken te naaien voor rijke typjes.' Mis. Daar steken de Franse couturewetten mooi een stokje voor. Een couturehuis moet: 1) minstens 20 werknemers in dienst hebben; 2) twee keer per jaar een modeshow houden; 3) per collectie zeker 75 originele kledingstukken presenteren.

Nu hebben de meeste mensen geen idee van wat haute couture eigenlijk is. Alles wat er apart uitziet, noemen ze couture (spreek uit: *koetuur*). Laat een couturier (spreek uit: *koeturie-jee*) het niet horen! Beweren dat een kant-en-klaar kledingstuk hetzelfde is als een couturestuk is belachelijk. Dat is net zo beledigend als wanneer je de gerechten van een kok van een 3-sterrenrestaurant vergelijkt met wat je bij de snackbar haalt.

Behalve over couture hoor je ook vaak over prêt-à-porter, of ready-to-wear, wat hetzelfde betekent: 'klaar om te dragen'. Prêt-à-porter is een luxe vorm van confectie. Het is met veel kunst en goede stoffen door modeontwerpers gemaakt. Je kunt het gewoon in de winkel van de rekken kopen. Het is dus niet speciaal op maat gemaakt. Het is ook verwarrend dat veel ontwerpers naast couture ook prêt-à-porterkleding maken. Sommige ontwerpers ontwerpen ook nog de in massa geproduceerde confectie.

Beroemde couturiers doen het níét zelf

Als couturier heb je niet per se naaitalent nodig. Karl Lagerfeld kan nog geen jurk naaien! Hij heeft zelfs niet eens een modeschooldiploma op zak. Toch is hij een van de bekendste couturiers ter wereld. Ook zijn collega Jean Paul Gaultier is wereldberoemd geworden zonder modeopleiding. Maar tekenen kunnen ze als de beste! Het allerbelangrijkste is dat ze mensen hebben die hun ideeën uitvoeren, zoals patroontekenaars en een hele batterij naaisters. Want echt, er bestaat geen bekende couturier die zelf jurken naait!
Couturiers die nog geen potlood konden vasthouden maar wél handig waren met draad en naald, waren Coco Chanel, Madeleine Vionnet en de eerste couturier aller tijden, Charles Frederick Worth.

Ook Nederland deed mee aan al die Franse modetrends.
De allerrijksten lieten hun jurken in Parijs maken.
De iets minder rijken volgden ook de trends. Dat kon
omdat kleermakers (voor veel geld) de naaipatronen
van couturiers kochten. Namaken mocht, als je er maar
voor betaalde! Dit systeem werkte prima tot aan de
eeuwwisseling.

gouden moderegels

DOEN!
- **Verander vaak van kapsel.**
  Je haar groeit altijd weer aan!
- **Koop nooit veel kleding.**
  Kies liever alleen het beste óf het goedkoopste.
- **Als er een gelegenheid is om een kroontje te dragen, doe het!**

Explosieve straatmode

Het is haast ongelofelijk, maar wist je dat jonge mensen
pas zo'n vijftig jaar hippe én betaalbare mode kunnen
kopen? Tot die tijd ging alle aandacht uit naar de dure
Parijse couture. Maar de couturiers werden steeds ouder,
en snapten niet dat jonge mensen inmiddels ook zin
hadden in leuke, betaalbare kleding.
De mode explodeerde in jaren zestig. Dat gebeurde in
Londen. Daar kwamen alle popidolen vandaan, daar werd
de ene (mini) na de andere (midi, maxi) trend gezet. Daar
schoten 'boetieks' als paddestoelen uit de grond. In deze

kleine winkeltjes verkochten jonge modeontwerpers als Mary Quant hun gedurfde felgekleurde mode. De H&M van toen was Biba. Alles was er even hip. Maar er was een groot verschil met nu. Toen kochten tieners kleding waar hun ouders zich voor schaamden, zoals satijnen heupbroeken, zwart-wit geblokte panty's en piepkleine hotpants. Want wat 'mocht' er veel niet! Pailletten waren circusachtig, een ritssluiting hoerig, glimmende stoffen ordinair, en knieën die je zomaar kon zien? Die lelijke dingen moesten te allen tijde bedekt zijn! Oooh, en die minirok getuigde helemaal van slechte smaak! Maar voor jongeren was alles TE WAUW! en onweerstaanbaar. Dus luisterden tieners niet langer naar hun ouders!
De vraag naar flitsende trendy mode werd steeds groter.

Al die jeugdige kleding moest natuurlijk ook ontworpen
worden. Vanaf begin jaren zestig werd modeontwerper
een echt beroep. Net als het voorspellen van trends. Nieuw
waren stylingbureaus. Op deze modekantoren werkten
mensen die we nu trendwatchers zouden noemen. Ze
reisden de hele wereld over en zogen als sponzen indrukken
op. Voortaan bepaalden zij voor ons welke kleuren, stoffen,
en modellen er in de mode kwamen.
Stijliconen bestonden er in de sixties ook al. Meisjes
wilden er net zo uitzien als de superslanke, blonde mini-
jurkendraagster Twiggy met haar grote poppenogen. Of
dat alle meisjes lukte? Ze keken in ieder geval net als
hun idool met opengesperde ogen een spiksplinternieuwe,
verleidelijke modewereld in!

Hoe word ik een stijlicoon?

Als je kledingstijl wereldwijd wordt nagedaan, dan heb je
het tot stijlicoon geschopt. Tegenwoordig zijn dat onder
andere topmodel Kate Moss, zangeressen als Jennifer Lopez
en Beyoncé en het babbelende aankleedpopje Paris Hilton.
Hoe krijg je mensen zo dol dat ze je willen imiteren?
Door net als Paris Hilton in de bladen te komen met het
'wereldnieuws' dat je je vier keer per dag verkleedt?
Ja, eigenlijk wel. Een stijlicoon is altijd in het nieuws. En
niet omdat ze zo slim is of heldendaden verricht. Nee, van
haar intelligentie moet ze het niet hebben. Belangrijk zijn
een fraai uiterlijk, wat acteertalent, een fortuin om de in
het oog springende kleding te betalen, en vriendjes. Vooral
'slechte' jongens, die leveren fijne roddels op!
Het is niet verwonderlijk dat stijlidolen altijd modellen,

prinsessen, actrices of popzangeressen en vrouwen met spraakmakende mannen zijn. Dat was zo'n vijftig jaar geleden ook al zo. Toen adoreerden pubers de sprankelende actrice Audrey Hepburn, de kreukloze presidentsvrouw Jacqueline 'Jackie' Kennedy en de glamourprinses en ex-actrice Grace Kelly, die trouwde met de prins van Monaco. Tja, deze beauty's zijn ook allang morsdood. Maar dankzij hun uitgesproken eigen stijl leven ze voort. Met een knipoog naar Jackie zetten vrouwen nog steeds een pillendooshoedje op hun hoofd. Of moeten ze per se net zo'n tas van Hermès als Grace Kelly (de Kelly Bag!). Je snapt het al, stijlicoon word je niet zomaar. Zorg eerst maar eens dat de meiden in je klas en je kleine zusje tegen opkijken. En verder: oefenen in nadoen.

Bijna alles over Yves Saint Laurent (1937)

In 2002 was Yves Saint Laurent wereldnieuws. In dat jaar gaf hij zijn allerlaatste modeshow. Het publiek huilde. En terecht, want een van de allerbeste couturiers ooit had zijn schaar aan de wilgen gehangen! Maar na precies veertig jaar had hij toch echt genoeg stofjes geknipt, vond hij zelf.

In 1957 haalde een jonge Yves - hij was pas 20 jaar - voor het eerst het nieuws. De aanleiding was droevig: Christian Dior, zijn baas, was plotseling overleden. Het merk Dior bleef gewoon bestaan. Reikhalzend keek de modewereld uit naar de nieuwe Dior-collecties. De ballonrokjes uit 1958, die Yves had ontworpen, vonden de modejournalisten best nog wel grappig. Maar in de winkel verkochten ze niet. Na nog een slecht lopende - geheel zwarte - collectie moest Yves zijn schaartje inpakken. Hij was ontslagen. (De modewereld is hard!) Was dit nou het leven waar de kleine Yves altijd van gedroomd had? Als kind deed hij wat alle jongetjes (en meisjes) doen die modeontwerper

willen worden: de jurken van hun moeder verknippen en daar
poppenkleertjes van maken. En met de Franse Vogue *als*
lievelingsblad was het duidelijk dat Yves maar één ding wilde:
een carrière in de mode! Na zijn ontslag bij Dior kwam zijn
droom wél uit. Hij begon voor zichzelf. 'Fabelachtig, goddelijk',
dat vond de belangrijkste modejournaliste Diana Vreeland in
1962 van zijn eerste collectie. (In de modewereld vergeeft men
snel!)

In het begin van zijn carrière was Yves Saint Laurent een echte
trendsetter. Omdat hij zelf ook nog zo jong was, snapte hij
precies wat jonge vrouwen wilden dragen. Als eerste couturier
liet hij zich inspireren door de straatmode. De winkel die hij
in 1966 opende - voor, zoals hij zelf omschreef 'de dochters
van zijn klanten' - werd dan ook een groot succes. In hetzelfde
jaar bracht Yves de modewereld in verrukking met een smoking
voor vrouwen. Na dit eerste model, dat is afgeleid van het
mannensmokingpak, volgden er nog talloze variaties.

Twee jaar later haalde Yves alweer de voorpagina's, dit keer met
een gewaagde doorkijkblouse. Aan zo veel bloot was de wereld
in 1968 nog niet gewend! Dus op snelle navolging hoefde dit
ontwerp niet te rekenen. Maar heel veel andere kledingstukken
van Saint Laurent leveren zelfs nu nog heel wat ontwerpers
talloze ideeën op.

Tijdens die laatste modeshow in 2002, die waar iedereen zo
om moest huilen, kwamen zijn belangrijkste kledingstukken
nog eens voorbij. De beroemde Afrikaanse kralenjurkjes, het
sexy safaripakje, volumineuze Russische jurken, met goud
geborduurde Chinese jasjes, Spaanse bolero's, de jurken als
schilderijen van Picasso en Mondriaan, tuttige blouses met
strikjes om de hals, en natuurlijk heel veel smokings. Al deze
vrouwelijke ontwerpen leverden Yves Saint Laurent massa's fans
op, en bieden genoeg inspiratie om zijn opvolgers nog jaren door
te laten gaan.

Altijd top: de strik

Couture en strikken horen bij elkaar als aardbeien en slagroom. In de couture wordt dan ook heel wat afgestrikt. Vooral trouwjurken kun je er lekker mee versieren. Met piepkleine exemplaartjes of enorme joekels. Beide formaten sierden van onder tot boven de trouwjurk die Viktor & Rolf voor Mabel, de schoonzus van prinses Máxima, bedachten. Zouden de Nederlandse ontwerpers de jurk zo gemaakt hebben omdat Mabel net zoveel van strikken houdt als de Franse koningin Marie-Antoinette in de achttiende eeuw? Deze strikkofiel droeg ze van top tot teen! Op haar hoed, in het haar, rond kraag en hals, aan de mouwen en op haar schoenen. Dé grote strikkenmode was om het bovenstukje van een japon te versieren met een 'ladder' van strikken - van groot naar klein. Hé, net als Viktor & Rolf! Die twee waren heus niet de eerste strikkengekken!

Borduur het zelf:
een avondtasje

Moeilijk? ○ makkie! ○ mwoah... ● ff doorbijten ○ hellup!?

Dit heb je nodig:

- *lapjes vilt in drie kleuren (eentje van 19,5 cm breed en 30 cm lang)*
- *een naald en borduurwol*
- *een schaar*
- *spelden*
- *kraaltjes*

Zo doe je het:

- Leg een lapje vilt in de lengte neer.
- Vouw de onderste 10 cm van het lapje naar boven.
- Naai de zijkanten dicht (met de hand of de naaimachine)
- Met een siersteek kun je de klep versieren.
- Knip uit de andere lapjes vilt versieringen, zoals bloemetjes of tasjes.
- Plak of naai ze (met een kraaltje) vast op de klep.

Mode van héél lang geleden: de Gotiek van 1200 tot 1480.
Slanke lijnen en duivelse hellevensters

Beroemdheden: Jeanne d'Arc, de schrijver Dante **Nieuw:**
verschil tussen mannen- en vrouwenkleding **Vrouwenmode:**
*een overjurk met ruime armsgaten (hellevensters) waardoor
het strakke onderhemd te zien is* **Mannenmode:** *twee
verschillende kleuren broekspijpen (beenlingen) bijvoorbeeld een
rode en een groene* **Trend:** *belletjes aan kleding, kettingen,
ceintuurs en puntschoenen* **Accessoires:** *buidels, kroontjes,
kaproenen, puntmutsen met sluier (hennins)* **Modekleuren:**
blauw, rood, groen **Stoffen:** *fluweel, satijn, zijde*
Uitvindingen: *de schaar, knopen, de broek*
UIT: *kuisheidsgordels* **IN:** *sexy laag uitgesneden halslijnen*

Vanaf 1300 werd zowel de mannenmode als de
vrouwenmode steeds extremer. Wonderlijk zijn de
overeenkomsten tussen de gotische bouwstijl en de
mode. Beide gingen de lucht in. De kerktorens reikten
steeds hoger en werden spitser, net als de hoeden van
de vrouwen. Al in deze tijd probeerden mensen er
door middel van kleding en accessoires slank en zo
lang mogelijk uit te zien. Zo schoren vrouwen hun
wenkbrauwen en een deel van hun hoofdhaar af om een
hoog voorhoofd te krijgen. Een absurd hoge puntmuts, de
hennin, moest het allemaal nog indrukwekkender maken.
En als iets niet hoog was, dan was het wel erg lang.
Aan de fluwelen *houppelande*, een lange jas, zaten lange
mouwuiteinden die tot aan de grond reikten. Ook raakte
de punt van de *kaproen*, een soort capuchon met cape,
bijna de grond.
Grappig zijn de zeer lange, puntige *snavelschoenen*.

66

Heel merkwaardig is de trend onder vrouwen om
zwanger te willen lijken. Deze trend ontstond doordat
gelovige vrouwen Maria gingen vereren. De bolle buik
van de nep-zwangere werd gemaakt met een kussentje en
gedrapeerd met fluweel.

Voor de mannen kwam de *wambuis* in de mode. Dit
nauwsluitende jack was zo kort dat de beenlingen
helemaal in zicht kwamen. En nog iets: doordat de losse
pijpen met koordjes aan elkaar vastzaten, was er vrij zicht
op het kruis. Als tussenstuk verzon men een soort kapje.
Dit heet het *schaamkapsel*. In plaats van het te verstoppen,
benadrukte deze opvallende uitstulping het mannelijke
geslacht. En dat vonden de heren helemaal niet erg.

kussentje

Scharnieren

Malle martelmode - au!

Kuisheidsgordels. Voordat middeleeuwse ridders ten
strijde trokken zetten ze eerst hun vrouw op slot.
Oink? Ja, vrouwen kregen een soort ijzeren string
met hangslot aan. Manlief nam de sleutel mee,
zodat het vrouwtje niet vreemd kon gaan.

Het ijzeren korset. Dit ongemakkelijke korset trokken
vrouwen in de zestiende eeuw vrijwillig aan. Het
ding perste hun borsten helemaal plat, en dat was
nou net de bedoeling. Het korset, dat gemaakt werd
door een smid, had scharnieren opzij en sloot met
haken aan de achterkant.

Lotusvoetjes. In China werden piepkleine voetjes
gezien als teken van schoonheid. Om zulke
'lotusvoetjes' te maken werden de voetjes van
meisjes ingesnoerd om de groei te stoppen. Dat
die vrouwen alleen maar kleine stukjes konden
lopen vond niemand erg. Sinds honderd jaar is het
verboden.

Hoofdstuk 5

Van mauve tot crêpe georgette

*'Op een dag zullen we kleren blazen op de manier waarop
we glas blazen. Het is belachelijk dat je stof in stukken moet
knippen om het rond een lichaam te krijgen.'*
Mary Quant, 1967

Modeontwerpers spelen graag met kleur en materiaal.
Ze bedenken vaak de mooiste combinaties. Maar dat wil
niet zeggen dat wij zomaar alles aantrekken! Kleur en
materiaal hebben namelijk invloed hebben op ons gevoel.
Stel, rood is de modekleur. Je moet maar net in de stemming
zijn om zo'n opvallende kleur aan te trekken. Wist je
dat rood vreemde dingen met je doet? Als je heel lang en
intens naar rood kijkt, dan slaan je hartslag, bloeddruk
en ademhaling op hol! Rood is natuurlijk niet voor niets
de kleur van de liefde! Geel is veel slomer. Daar gaat je
hartslag juist van omlaag. Geel is een slaapverwekkend
kleurtje. Ideaal voor op de slaapkamermuren!
Stoffen kies je niet alleen op kleur, maar ook om hun
eigenschappen. Want al ziet een gebreid wollen truitje
er nog zo mooi uit, als het kriebelt hoef je het niet. Zou
daarom iedereen zo van katoen houden? Er bestaat geen
stof met betere eigenschappen dan katoen. Het kriebelt
niet, het zit altijd lekker fris (want het neemt zweet op),
is oersterk, kleurvast en je kunt het zo in de wasmachine
gooien.

De keuze in stoffen is enorm. Alleen al van katoenen stoffen bestaan er meer dan vijftig soorten! De keuze van een ontwerper voor katoen, wol of kunststof hangt samen met de functie van het kledingstuk. Als de veel gedragen spijkerbroek van wol in plaats van van sterke spijkerstof zou zijn, dan zou de broek nooit zo lang meegaan.

Ken de kleurcodes

Heel veel kleuren hebben codes. Neem jij een dokter in een zuurstokroze pak serieus? Nee toch, die kan wel een cliniclown zijn! Je zult je echter niet snel vergissen, want een dokter herken je meteen aan zijn witte jas. Een bruin gejaste dokter zouden we trouwens maar vies vinden. Want in een ziekenhuis hoort alles hygiënisch (dus wit) te zijn.
Niemand vertrouwt een zakenman in een wild gedessineerd pak. Daarom lopen ze altijd in stemmig donkergrijze en blauwe pakken.

Katoen-o-logie

'In India staan wilde bomen, waar in plaats van vruchten wol aan groeit. De Indiërs maken er zelfs kleding van!' Dit schreef de Griekse geschiedschrijver Herodotus op, tijdens zijn reis door India zo'n 300 jaar voor Christus. Jullie weten natuurlijk wel beter. Wat die man zag was geen wol, maar katoen. Dat mooie plantje groeit niet in Nederland. Het is hier véél te koud. In warme, vochtige landen als India, Peru en Egypte en in sommige delen van Amerika gedijt het als een tierelier.
Het jaarlijks gezaaide katoenzaad groeit in zo'n drie

maanden uit tot een forse struik. Nadat de wit-gelige bloemblaadjes zijn veranderd in roze, vallen ze van de struik af. De vrucht blijft zitten en groeit uit tot een zaadbol. Als deze bol openbarst, komen de witte pluizige katoenvezels naar buiten. Deze pluizen verspreiden de nieuwe katoenzaadjes door de wind. Net als een paardenbloem.

Tot 1770 was er nauwelijks vraag naar katoen. Maar toen de spinmachine werd uitgevonden, was het opeens veel makkelijker te verwerken en nam de vraag naar ruwe katoen enorm toe.

Veel gebruikte katoenen stoffen: sterke denim voor spijkerbroeken, vochtopnemende badstof voor badjassen, rekkende tricot voor ondergoed en T-shirts en Oxfordstof voor overhemden. Die laatste is vernoemd naar het Engelse stadje Oxford: het is dun gestreepte of geblokte katoen.

Wol-o-logie

Wol is afkomstig van de haren van een zoogdier. Maar van de zachte haartjes van je poes kun je geen trui breien. Haar haartjes zijn daar te glad voor. Van de gekroesde vachtharen van schapen kun je wel garen spinnen. Ook het haar van geiten, lama's, kamelen en zelfs van angorakonijntjes kan worden verwerkt tot warme stoffen.

Van het Merino-schapenras, dat over de hele wereld wordt gefokt, komt de meeste wol. Tegen het begin van de zomer worden schapen met een elektrische tondeuse van hun wintervacht af geholpen. Een beetje schaap levert ruim vier tot acht kilo op. Na het scheren wordt de wol gesorteerd. De wol die van de rug komt is veel mooier dan de buikwol. Het slechtst van kwaliteit is de wol van de poten, die vaak versleten is.

Verder wordt de wolkwaliteit bepaald aan de hand van de fijnheid, de vezellengte en de kleur. Hoe langer, fijner en zachter de haren zijn, hoe beter.

De zachtste wol komt van de vicuña. Dit is een lama-achtig beestje dat ruim 4000 meter hoog in het Andesgebergte graast. Het wilde diertje laat zich lastig vangen. Daarom zijn zijn haartjes schaars en dus erg duur.

Meest voorkomende wolletjes: strakgeweven, bijna kreukvrije gabardine voor mannenpakken, soepelvallende crêpe georgette voor mooi gedrapeerde avondjurken, boterzacht kasjmier voor truien en sjaaltjes, en bobbelig tweed voor deftige jasjes.

Kunststof-o-logie

In 1976 deed de modeontwerper Yves Saint Laurent een opmerkelijke uitspraak: 'Het is volgens mij niet zeker dat basisstoffen als wol, linnen, katoen en zijde er nog lang zullen zijn.' Gelukkig kreeg hij ongelijk. Maar écht gek was zijn uitspraak niet.

Want in de jaren zeventig waren mensen alweer jaren gewend aan kleding van kunststoffen als polyester

en acryl. Eerder, begin jaren vijftig, werd nylon zelfs
aangeprezen als wondermateriaal: 'Nylon, dunner dan
spinrag, sterker dan staal en eleganter dan zijde.' Maar
het was ook goedkoop en heel handig, want een nylon
kledingstuk was in een kwartiertje droog.

In kleding werd nylon gebruikt voor romantische jurken,
korsetten en waterafstotende skikleding. Maar er werden
ook huishoudelijke artikelen van gemaakt en zelfs
kerstbomen.

In de jaren zeventig (toen Yves Saint Laurent zich zorgen
maakte over de toekomst van natuurlijke materialen)
kwam er dus steeds meer kleding van synthetische stoffen.
Dat kwam doordat mensen meer vrije tijd kregen om
leuke ontspannende dingen te doen, zoals sporten. En
dat gaat het best in comfortabele kleding die gemaakt is
van nieuwe stoffen als lycra. De glanzende topjes van het
superelastische lycra vinden mensen zo leuk dat ze ook
buiten de sportschool worden gedragen.

Modeontwerpers ontdekten de stretchmaterialen ook.
Heel bijzonder waren de peperdure strakke jurken van
the king of stretch, Azzedine Alaïa. Popdiva's als Tina
Turner en Grace Jones waren in de jaren negentig
helemaal verslaafd aan zijn slanke jurken. Deze
modeontwerper maakt nog steeds heel sexy rekbare (én
figuurcorrigerende) jurken.

Handige synthetische materialen: Gore-tex bestaat sinds 1969
en wordt onder andere verwerkt in jacks, het maakt ze
wind- en waterdicht en transpiratie kan toch ontsnappen.
Acryl lijkt op echte wol, er worden goedkope truien
van gebreid. Garenmengsels (*blends*) bestaan ook. Veel
voorkomende zijn 55% polyester en 45% wol, en 55% wol
en 45% katoen.

2300 jaar geleden zagen de Grieken de pluisjes van de katoenplant aan voor wol. *Baumwolle* (boomwol), de Duitse benaming voor katoen, herinnert nog aan dit antieke misverstand. Jammer dat die oude Grieken nog nooit van de brandproef hadden gehoord! Dan hadden die Duitsers zeker een ander woord voor katoen verzonnen.

Het is heel simpel om een vezelsoort te bepalen (zonder op het etiket te kijken!). Je hebt nodig: een aansteker en een draadje van de stof die je wilt testen.

Katoen: de draad brandt snel en ruikt naar verbrand papier. Er blijft witte, zachte as over.

Wol: de draad brandt langzaam en ruikt naar verschroeid haar. Er blijft donkere as over.

Synthetisch: pas op je vingers, de draad brandt snel! Het stinkt naar plastic en aan het topje van de draad komt een hard bolletje.

Nu kun je ook gemakkelijk testen of bont echt of nep is. De 'haren' van nepbont smelten snel en zullen vreselijk stinken naar verbrand plastic.

Roze voor rijke dames en Picasso-rokken voor slimme meiden

In de chique Parijse winkel van Elsa Schiaparelli konden dames in 1937 een knalroze avondjurk kopen! De naam van het felle roze was *shocking pink* – schokkend roze. Je moest overigens wel schokkend rijk zijn om deze feestmode te kunnen betalen! Het zou nog jaren duren voordat kleur echt het modebeeld ging bepalen.

Want tot na de naoorlogse jaren zat er weinig variatie in de modekleuren. Anders dan nu kwamen er maar twee keer per jaar nieuwe zomer- of winterkleren in de winkels. In de winter overheersten donkere kleuren, en in de zomer zachte pasteltinten. Ieder jaar weer. Pas eind jaren vijftig breekt kleur echt door. Dan kopen fans van filmster Doris Day – het stijlicoon van je oma – dezelfde roze gebreide twinset (een truitje met bijpassend vestje) als hun idool.

Rond dezelfde tijd beginnen dessins de mode spannend te maken. Stoffenontwerpers laten zich inspireren door de schilderijen van de Spaanse kunstenaars Pablo Picasso en Juan Miró. In eerste instantie belanden de felle Picasso- en kriebelige Miro-motiefjes op interieurstoffen als gordijnen. Huiskamers frissen daar behoorlijk van op! Maar de mode volgt. Slimme meiden die niet kunnen wachten tot de mode-industrie de stoffen heeft gekopieerd, kopen een artistiek lapje in een gordijnenwinkel. Om vervolgens hun handige moeder er een rokje van te laten naaien!

Bruin wordt het nieuwe zwart!

In de jaren zestig komt de 'kleurenindustrie' op gang. Vanaf dan beslissen de beste kleurspecialisten ter wereld wat de nieuwe zomer- en winterkleuren worden. De garen- en de stoffenindustrie maken gebruik van hun kleurvoorspellingen. Grote modemerken en warenhuizen worden vaste klanten van de kleurvoorspellers. Zij kunnen het zich niet veroorloven om de 'verkeerde' kleuren in hun winkels te hangen.

Tegenwoordig zijn de meeste kleuren het hele jaar te koop. Al is het wel zo dat we in Nederland moeite hebben met enkele kleuren. Nederlanders houden bijvoorbeeld

niet van felgeel. En groene kleding vinden de meeste
mensen ook niet staan. Tot een paar jaar terug moesten
we van de 'babykleur' roze niets hebben. Op oranje
zijn we alleen gek tijdens koninginnedag of bij een
belangrijke voetbalwedstrijd.
Fashionista's hebben zo hun eigen manier om een
nieuwe modekleur aan te kondigen. Stel, zwart is uit de
mode. En zij voelen met hun 'sprieten' aan dat bruin het
helemaal wordt. Dan roepen ze: 'Bruin wordt het nieuwe
zwart!' Duidelijk toch?

Zwart: droevig en duur

Sinds begin jaren tachtig is zwart een modekleur. Het
was toen al jaren dé lievelingskleur voor zwartkijkende

punkers en new-wavers. De eerste modeontwerpers die tijdens de Parijse shows eindelijk hippe zwarte kleding lieten zien, kwamen uit Japan. Met hun sombere kleding zetten Yohji Yamamoto en Rei Kawakubo (van het merk Comme des Garçons) de modewereld behoorlijk op zijn kop. Het droevige zwart sijpelde langzaam het straatbeeld in.

Niet dat er geen zwarte kleren waren vóór die tijd. Toen in 1603 de Engelse koningin Elizabeth I stierf, werd er ruim 16.000 meter pikzwarte stof besteld. Deze stof was erg duur, omdat zwarte kleurstof de duurste was die er bestond. Van deze kostbare stof werd rouwkleding gemaakt voor Elizabeths familieleden, het hofpersoneel, de ambassadeurs en de regeringsleden. Omdat de invloed van het hof destijds heel groot was, wilde het volk niet achterblijven. Veel burgers staken zich in de schulden om de peperdure rouwkleding en zwarte accessoires te betalen. Want alles was zwart. Van de gespen op de schoenen, knopen, waaiers en sieraden tot de nagels aan toe!

Stoffenfabrieken waren niet echt blij met de rouwcultuur. Want afhankelijk van de belangrijkheid van de overledene, kon een rouwperiode zo een jaar duren! In 1711 stuurden ze daarom een protestbrief naar de Franse koning. De brief hielp: de rouwperiodes werden ingekort. Ruim 150 jaar later bloeide de rouwcultuur weer helemaal op. Dat gebeurde in 1861, toen prins Albert, de man van de Engelse koningin Victoria, overleed. Vervolgens droeg Victoria veertig jaar lang zwart! Het volk nam de gewoonte weer over. Als je een ziekelijke familie had, dan liep je bijna je hele leven in het zwart! Rond 1900 was er zelfs sprake van rouwmode! De laatste rouwtrends waren te koop in speciale winkels die de hipste rouwmode en accessoires verkochten. Het zouden paradijsjes voor de hedendaagse goths zijn geweest!

Eén, twee, drie, vier, jurkje van papier

Het kwetsbaarste materiaal waar ooit jurkjes van zijn gemaakt was papier. In Amerika waren in de jaren zestig papieren jurkjes eventjes een trend. Na een paar keer dragen kon je ze weggooien. Maar of dat slim was? Er waren namelijk ook kunstenaars die ze ontwierpen. En wat zeker is dat de mensen die ooit een jurkje van de kunstenaar Andy Warhol hebben weggegooid, hun haren nu wel uit hun hoofd trekken! Een papieren Warhol-jurkje met een opdruk levert duizenden euro's op.

Waarom word ik horendol van kriebelwol?

Elke stof heeft bepaalde eigenschappen. Sommige mensen worden helemaal dol van kriebelwol! En ze stellen zich zeker niet aan! Er bestaat namelijk een heus jeukpunt. De oorzaak van die gekmakende kriebel heeft te maken met de doorsnede van een wolvezel. Die wordt gemeten in microns (0,0001 centimeter). Als een wolvezel heel dun is, dan loop je minder jeukrisico. Jeuk krijg je als een vezel 28 micron meet. Deze vezel is veel minder dik dan een mensenhaar, die 60 tot 80 micron dik is. De vezels van de allerfijnste wol, kasjmier, meten maar 12 tot 16 micron.

Bijna alles over Prada

'*Ik heb nooit besloten om een ontwerpster te worden.*' Dat is
een opvallende uitspraak als je weet dat Miuccia Prada alweer
ruim vijfentwintig jaar van alles ontwerpt. Toch had het maar
een haartje gescheeld of de Italiaanse was politica geworden.
Of wie weet, toneelspeelster. Beide leken haar leuker dan
werken in het tassen- en schoenenbedrijf dat haar grootvader
Mario in 1913 had opgericht. Miuccia veranderde van mening
toen ze haar toekomstige man tegenkwam. Hij werkte ook
in de 'tassenwereld' en zo kwam het dat Miuccia toch nog
werd aangestoken door het tassenvirus. Kleding was toen nog
bijzaak.
Prada maakte de eerste financiële klapper in 1985. Er werd
toen zoveel verdiend aan een zwarte nylon rugzak dat er
ook geld was om steeds grotere kledingcollecties te maken.
Ook die sloegen aan. De eerste outfits vielen op omdat ze zo
minimalistisch waren. Kleding zonder frutsels dus. Pas veel
later kwamen de glitters. Je zou de stijl ook grafisch (strak van
vorm) kunnen noemen.
Prada-kleding was heel anders (zeg maar gerust het
tegenovergestelde) van wat Gianni Versace toen ontwierp.
Deze Italiaanse ontwerper werd bekend met heftig versierde
bling-jassen en opzichtige blouses met wild krullende dessins
en tassen met gouden handvatten en versiersels.
Toch was (en is) Prada niet saai. Heel modern is de manier
waarop het merk aparte materialen gebruikt. Op jurken en
tassen naaide Prada ooit kleine spiegelrondjes, en van lange
pauwenveren werden rokjes en hoedjes gemaakt. Typisch Prada
zijn de grafische dessins, die meestal geïnspireerd zijn op die
uit de jaren vijftig. In 1995 waren zelfs alle kleding én alle
tassen bedrukt met abstracte motieven.
Omdat Prada inmiddels wereldwijd een groot succes is, kun

je van alles van het merk kopen. Van lingerie, cosmetica en
parfum tot sportkleding en sleutelhangers. Prada-sneakers
herken je meteen aan een rood balkje, dat altijd zichtbaar op de
hak van de schoen zit.
Enkele Prada-winkels zijn zo speciaal dat ze toeristische
attracties zijn geworden. Ze worden ontworpen door de beste
architecten ter wereld. De Nederlander Rem Koolhaas bedacht
een prachtige Prada-winkel in New York.
Sinds 1992 heeft Prada een 'zusje'. Ze heet Miu Miu en is
vernoemd naar het koosnaampje van Miuccia. Miu Miu is
even hip als Prada, maar iets minder damesachtig. Wel heb je
ook voor deze meidenmode veel (zak)geld nodig.

 Altijd top: dessins

Boekhouden in een streepje, flaneren in een bloemetje
en rocken in een ruitje. Elk dessin heeft zo zijn eigen
uitstraling. De zojuist genoemde dessins bestaan al
eeuwen. En omdat alles altijd weer terugkeert in de
mode, komen we er ook nóóit meer vanaf.
Zo zijn er elk modeseizoen weer modeontwerpers die
met bloemetjes strooien. Bloemendessins bestaan in alle
soorten en maten. In de couture zie je soms overdreven
kitscherige rozen. Frisse narcissen en strakke margrietjes
lenen zich altijd voor opwaaiende zomerrokjes. Er zijn
ook beroemde bloemenstofjes. De Engelse ontwerpster
Laura Ashley werd in de jaren zeventig bekend met
romantische jurken met heel kleine bloemetjes erop. Dit
bloemetjespatroon noemen we Liberty, vernoemd naar de
stoffenfabrikant Liberty, waar Ashley haar stofjes kocht.
Wat hebben Engelsen toch met bloemen? Dankzij de

Brit Paul Smith zien we de laatste jaren ook mannen in bloemen lopen.

Ook onder de ruit komen we nooit meer uit. De bekendste zijn Schotse ruiten (*tartan*). De Schotten zouden daar al duizenden jaren in rondgelopen hebben. Zeker is dat de ruit al bijna vierhonderd jaar oud is. In het begin bedachten wevers hun eigen patronen. Dit idee werd overgenomen door onder andere families om te laten zien bij welke clan ze hoorden. In de loop der tijd lieten talloze Schotse families hun eigen ruiten weven om er *kilts* (mannenrokken) van te maken. Daarom bestaan er nu duizenden soorten ruiten.

Schotse Kilt

Een ander geliefd ruitje is het schattige BB-ruitje van roze en witte blokjes. Het is vernoemd naar de blonde actrice Brigitte Bardot. In de jaren zestig was de Française met haar lange blonde haren en pruillippen hét voorbeeld voor massa's tienermeisjes. Het ruitje bestaat ook in andere kleuren. In Nederland heet een rood-wit geblokte versie Brabants bont. Dat klinkt stukken minder frivool dan het Brigitte Bardot-ruitje!

De geschiedenis van de streep is eeuwenoud. In de Middeleeuwen hielden mensen helemaal niet van strepen. Dat kwam doordat het middeleeuwse oog moeite had om de achtergrond van de voorgrond te onderscheiden. Strepen, maar ook blokken, vonden mensen maar duivels! Daarom hadden ze bedacht dat 'storende elementen' als zieken, gekken en prostituees in die duivelse streep moesten lopen.

Met gestreepte kleding kun je van alles zeggen. Maar het drukt vooral het verlangen uit om een 'lijn' te volgen. Boekhouders, bankiers en andere mensen die met geld werken zijn echte streepliefhebbers. De lijnen van hun krijtstreeppak en de fijne streepjes op hun overhemd veronderstellen ordening. Net als de kolommen in een grootboek.

Verf het zelf: een tie-&-dye (knoop & verf) patroon

Moeilijk? ○ makkie! ● mwoah... ○ ff doorbijten ○ hellup!?

Halverwege de negentiende eeuw werden aniline-kleurstoffen uitgevonden.
Deze synthetische kleurstoffen hadden grote gevolgen voor de mode.
Nu konden er eindelijk betaalbare stoffen in felle en diepe kleuren worden geverfd.
Tie-&-dye is een manier om stof te verven door delen ervan af te binden, zodat ze de verf niet opnemen. Zo maak je zelf kleding met grillige vlekken.

Dit heb je nodig:

- *een witkatoenen kledingstuk*
- *één bakje Dylon-koudwaterverf (te koop bij de drogist)*
- *stukjes sterk draad (bijvoorbeeld fijn touw)*
- *de gootsteen of een emmer*
- *een schaar*
- *een strijkijzer*

Zo doe je het:

Lees voor het verven altijd de gebruiksaanwijzing.

- Pak puntjes stof en wikkel er heel strak garen of touw omheen.
- Stop het kledingstuk in het verfbad.
- Als het kledingstof lang genoeg in de verf heeft gelegen: knip het garen eraf.
- Laat het kledingstuk drogen.
- Strijk de stof (belangrijk, dan geeft de stof niet af).

Mode van héél lang geleden: de Renaissance, van 1480 tot 1625. Mannen in maillots en vrouwen op koemuilen

Beroemdheden: ontdekkingsreiziger Columbus, schilder/ uitvinder Leonardo da Vinci, schrijver Shakespeare *Vrouwenmode:* korsetten en hoepelrokken ***Mannenmode:*** korte jassen met bontranden en pofmouwen, pofbroeken ***Mannentrends:*** de puntbaard, oorbellen, baretten met verenpluimen ***Accessoires:*** waaiers, haarnetjes van parels, molensteenkragen, veel ringen, parelsnoeren ***Kleuren:*** fel- rood, oranje, hemelsblauw, papegaaigroen, goud ***Stoffen:*** kant (nieuw!) fluweel, zijde, brokaatstof van gouddraad ***Uitvindingen:*** de modepop, gekleed volgens de laatste modetrends, die vanaf 1600 langs alle hoven in Europa reist; de opvouwbare paraplu *UIT:* spitse schoenen ***IN:*** koemuilen,(schoenen met brede voorkanten)

Vanaf nu ontwikkelen Duitsland, Italië en Spanje hun eigen modetrends. In het begin van de Renaissance was de Italiaanse stijl trendsettend, daarna de Duitse en tot slot de Spaanse.

De overeenkomsten tussen architectuur en mode zijn net zo opvallend als tijdens de gotiek. Maar in de Renaissance werd de mode niet meer geïnspireerd door lange, tot in de hemel reikende kerktorens. Vanaf nu moest alles zo breed mogelijk!

Mannen zagen eruit als 'vierkante', stoere kerels. De schouders van hun korte, rechtvallende mantels (*chamarres*) waren megabreed. Hun benen, gestoken in strakke maillots, staken er grappig bij af.

Vrouwen droegen hun jurken in twee delen: een strak

geregen bovenlijfje met een 'vierkante' hals en een losse rok. Doordat er een lang split aan de voorkant zat, was de mooie onderrok ook zichtbaar.

Vanaf 1510 lanceerden de Duitsers enkele opvallende trends. Een giller is de splittenmode. Deze bestond uit het dragen van twee kledingstukken van verschillend gekleurde stoffen over elkaar heen. Door insnijdingen in de bovenste stof piepte de felgekleurde onderstof tussen de spleten door. De Spaanse mode die vanaf 1550 het Europese modebeeld overheerste, is de allergekste ooit. De machtige koning Filips II van Spanje was streng gelovig. Het was verboden om ook maar een klein stukje van de huid te laten zien. Ronde vormen als borsten en billen waren aanstootgevend en moesten weggewerkt worden. De smid, die normaal harnassen smeedde, maakte nu ook korsetten. Deze ijzeren gevaartes pletten borsten zo plat als een dubbeltje. Een andere ongemakkelijke trend was de crinoline. Dit was een met stof bespannen ijzeren geraamte dat de rok een klokvorm gaf.

De modekleur is zwart. Dat droeg ook al niet bij tot vrolijkheid. Letterlijk schitterend was het fortuin aan goud, parels en edelstenen dat de steenrijke Spanjaarden op hun kleding lieten naaien. Voor wie zijn rijkdom niet wilde verstoppen in een schatkist was dit de veiligste manier van bewaren.

Hoofdstuk 6

Mode en sport

'Ik ben geobsedeerd door sportkleding. Waarschijnlijk omdat ik er altijd een hekel aan heb gehad. Het is een compleet nieuw gebied voor me. Een uitdaging.'
Miuccia Prada

Rapper Ali B. kon niet zonder zijn baseballpetje. Katja Schuurman doet haar boodschappen in een trainingsjasje. En zeg nou zelf: in een trainingsbroek hang je toch het lekkerst op de bank? Sportmerken laten zich dan ook graag beïnvloeden door grillige modetrends. Elk voetbalseizoen zijn de nieuwe tenues steevast weer anders. Je kunt in die flitsende voetbalshirts zo de straat op. En in de hippe jurkjes van de tenniszusjes Williams sla je ook buiten de tennisbaan geen gek figuur.
Het dragen van sportkleding en sportaccessoires in het dagelijks (en nachtelijk) leven is hartstikke gewoon. Maar zo normaal was het honderd jaar geleden niet. Misschien was daarom de mode toen stukken saaier.
Over de sportieve draai aan de mode schrijft het modeblad *Vogue* in 1926: 'Sport is meer dan wat dan ook de oorzaak van veranderingen in de hedendaagse mode.' Om het gemak van de 'nieuwe' modestijl te benadrukken, werd een vrouw, met tennisracket in haar hand, afgebeeld in een rechtvallend jurkje. De Franse ontwerpster Coco Chanel haalde als eerste inspiratie uit de sportwereld.

Sport in de mode

De Grieken die drieduizend jaar geleden meededen
aan de Spelen in Olympia, renden niet op Nikes of in
gestroomlijnde pakjes. Zij sportten poedelnaakt en op
blote voeten. Het zou nog eeuwen duren voordat speciale
sportkleding werd uitgevonden.
Alleen voor paardrijden bestonden sinds halverwege de
negentiende eeuw speciale rij-jassen en hoofddeksels.
Deze sportieve outfits werden alleen gedragen door de
allerrijksten. Zij vulden hun dagen met sporten als tennis
en golf. Het is een raadsel hoe vrouwen in lange jurken
en strakke korsetten een bal konden raken tijdens een
potje tennis. Lekker bewegen was onmogelijk.

Rond de eeuwwisseling kregen steeds meer mensen vrije tijd om te gaan sporten. Dus nam de vraag naar sportkleding toe. Om de vrouwen meer bewegingsvrijheid te geven had de Amerikaanse Amelia Bloomer al in 1851 een wijde pofbroek uitgevonden. Deze sportieve 'Turkse pantalon' was een stap in de sportieve richting. Maar de bloomer was té vreemd en niet vrouwelijk genoeg. Hij flopt.

Maar na de uitvinding van de fiets, zo'n dertig jaar later, bleek men de bloomer toch niet te zijn vergeten. Toch bleven broeken nog tientallen jaren verboden voor vrouwen. Fietsen in een broek was nog nét niet onfatsoenlijk!

Pas rond 1920 werden sportieve invloeden in de dagelijkse mode zichtbaar. Toen haalde Coco Chanel, zelf sportfanaat, haar inspiratie uit de sportwereld. Tijdens de paardenraces viel haar oog op de geruite tweedjasjes die mannen op de renbaan droegen. Maar nog spectaculairder voor die tijd was haar idee om rokken en jasjes te gaan maken van tricot. Dit is een soepel gebreide stof, die toen alleen gebruikt werd voor mannenondergoed! Maar wat waren moderne vrouwen vreselijk blij met de sportieve mode die Chanel daarvan toverde.

De uitvinding van sportswear

In Amerika is de ontwerpster Claire McCardell in de jaren dertig bezig met het ontwerpen van een nieuwe kledingstijl, *sportswear*, ofwel sportieve kleding. Dat het best lastig is om kleding te ontwerpen die niet lijkt op de ontwerpen uit Parijs, zegt McCardell in een interview:

'Gedurende de jaren dertig deed ik wat iedereen deed:
Parijs kopiëren.'
Maar als in 1940 de Tweede Wereldoorlog uitbreekt,
komen er weinig trends meer uit Parijs. Ondertussen
bedenkt McCardell sportieve vrijetijdsmode, die lekker zit
en ook niet vreselijk duur is.
Mensen raken zo gewend aan makkelijke kleding dat ze
die de hele dag wel willen dragen. Daarvóór verkleedde
iedereen zich voor elke andere gelegenheid. Maar in
McCardells jersey truitjes met capuchon kunnen mensen
sporten én hun hond uitlaten.
Net als Coco Chanel ontdekt McCardell dat er een grote
behoefte is aan gemakkelijke kleding. Bij jersey truitjes
ontwerpt ze rekbare wijde broeken. Deze outfit lijkt
verdacht veel op ons lekkere trainingspak.
Ze vindt een zwempak zonder bandjes uit en een
zomerse jurk met blote rug, en ze maakt de spijkerbroek
vrouwelijk. Een minder goed idee was de legging. In deze
strakke rekbare broek slaan nog altijd veel vrouwen een
modderfiguur.
Het duurt ook na de Tweede Wereldoorlog nog even
voordat de Amerikaanse sportswear Europa verovert. Dat
uitstel komt door Christian Dior. Eerst wil de naoorlogse
vrouw nog even genieten van Diors supervrouwelijke
mode.

*Sportkledingtrends in sneltreinvaart: winkelen in beenwarmers,
autorijden in golfbroeken en hiphoppen in een trainingspak*

In de jaren vijftig doen meisjes niets liever dan in een
zwarte skibroek (met bandjes onder de voet) achter op de
scooter van een vriendje zitten.

Maar pas vanaf de jaren zeventig raakt sportmode echt
ingeburgerd op straat. Dat komt door 'nieuwe' sporten als
trimmen (dat nu joggen heet) en aerobics (eerst gymmen
genoemd). De joggingpakken en gympakjes die bij deze
Amerikaanse sportrages horen, worden steeds mooier. De
nieuwe gympakjes zijn zo verleidelijk dat meisjes ze ook
in de disco dragen.

Als de popster Kate Bush (de Ellen ten Damme uit
de jaren tachtig) een sexy balletvestje, legging en
beenwarmers draagt, worden ook deze onalledaagse
kledingstukken een trend.

De succesvolle Nederlandse zangeressen van de Dolly
Dots ontdekken de sexy uitstraling van *bokserbroekjes*,
de satijnen broekjes die boksers dragen. Huisvrouwen
zien de joggingpakken ook wel zitten. Ze houden de
vrolijk gedessineerde pakken meteen maar de hele dag
aan. Een groot voordeel van al deze sportkleding is dat
die gemaakt is van nieuwe, rekkende stoffen als lycra.
(Tegenwoordig verwerken stoffenfabrikanten zelfs lycra
in keurige mannenpakken; dan kreukt de stof niet.)
Dankzij de modeontwerper Jean Paul Gaultier worden
hoogglanzende lycra fietsbroekjes een rage. Deze staan
mensen net zo lelijk als geruite golfbroeken. Maar ja, die
passen wel helemaal bij de 'kakkers'-look. Na de skibroek
wordt ook de bodywarmer van de besneeuwde skipistes
gepikt. Dit gewatteerde jack valt ook al in de smaak bij
kakkers, net als polotruitjes.

Begin jaren tachtig trekken hiphoppers en rappers hoodies
– sweaters met capuchons – en sneakers aan. Halverwege
de jaren negentig haalt het Italiaanse Prada topomzetten
met de bowlingtas. Andere veelgeziene accessoires uit
de sportwereld zijn zweetbandjes, die als armbandjes

gedragen worden, en baseballpetjes. Grappige langharige moonboots worden ook allang niet meer alleen in de sneeuw (en op de maan) gedragen. Heel veel meisjes kunnen daar prima op dansen!

Topsport in een haaienpak

Sportkleding moet fijn zitten. Want in omhoogkruipende hemdjes met irritante naadjes of knellende broekjes is het lastig concentreren op een nieuw wereldrecord. Dus 'sleutelen' ontwerpers constant aan sportkleding opdat topsporters telkens beter kunnen presteren.
Zou Pieter van den Hoogenband zijn olympische gouden

medailles in Sydney zonder haaienpak ook bijeen hebben gezwommen? De uitvinders die het snelle zwemkostuum hebben ontwikkeld, beweren natuurlijk van niet. Maar liefst vier jaar werkten zij aan het lichaamsbedekkende zwempak, dat er met zijn ruwe oppervlak voor zorgt dat de waterstroom de zwemmer minder snel afremt. Overigens, bij een verkeerde beweging of stroomsnelheid zou het pak juist remmend werken. Onder het motto 'Baat het niet, dan schaadt het niet' doken zwemmers uit alle landen als een haai de olympische zwembaden in. Mensen die voor de lol sporten kunnen ook van zulke verbeteringen profiteren. Dat is fijn voor die mensen én voor de fabrieken die de sportkleding maken (kassa!). Eerder werd in Japan Exeltech uitgevonden. Als je het warm krijgt in deze microfiberstof worden de gaatjes groter: frisse lucht komt binnen en zweet verdampt. Bij kou werkt de stof juist isolerend. Deze 'ademende' stof werd voor het eerst toegepast in skikleding tijdens de Olympische Winterspelen van 1988 in Calgary. Vanwege het hoge draagcomfort worden microfiberstoffen vanaf de jaren negentig veel verwerkt in bijvoorbeeld de binnenvoering van jacks.

Slimme kleren

Kleding wordt steeds slimmer. Bijvoorbeeld omdat er elektronica in verwerkt zit. Een knap voorbeeld van *I-wear* (intelligente kleding) is een joggingpak dat de hartslag opneemt. Als je te hard loopt, krijg je een waarschuwing van je trainingsjasje dat je het iets rustiger aan moet doen. Ook is er een stof uitgevonden die bij verwarming verkleurt. Puma maakte er trainingspakken van. Als de drager zich inspant, verschijnt de tekst GO FOR IT op de stof. Je danst door het leven in een muzikaal T-shirt. Dat komt door de chip die in de stof zit, zodat je altijd naar je favoriete muziek kunt luisteren, en waardoor je via een ingebouwde radio op de hoogte blijft van het laatste nieuws.

Een jas met ingebouwde zonnepaneeltjes bestaat ook al. Handig: zo heb je altijd voldoende stroom voor je mobieltje.

Vreselijk hebberig word je van dat soort kleding. Voorlopig is die nog onbetaalbaar. Helaas ook die kimono die op elk moment een heerlijke massage kan geven.

Waarom zijn modeontwerpers altijd homo en voetballers nooit?

Voetballers zijn nooit homo, toch? Ken jij er een? Maar het aantal bekende hetero-modeontwerpers kun je op één hand tellen. Nu is dat allemaal niet erg. Maar merkwaardig is het wel.

Trouwens, voetballers zouden ontzettend goede modeontwerpers kunnen zijn! Want net als modeontwerpers zijn ze erg graag bezig met hun uiterlijk en mode. Het beroemdste voorbeeld daarvan is David Beckham.

Maar net als zoveel hetero's kiest Beckham toch liever voor een goedbetaalde baan als voetballer. Dat komt doordat de meeste heteromannen (als kostwinner) graag elke maand een vast salaris willen verdienen. En als je zo'n onzeker beroep als modeontwerper kiest, of iets anders in de kunst, dan kun je een vast inkomen wel vergeten!

Naast de behoefte aan financiële zekerheid is er nog iets. Hetero's kijken heel anders naar vrouwen dan homo's. Hetero's zien vrouwen als moeder en echtgenote. En niet als een muze. Een muze is de vrouw door wie modeontwerpers zich laten inspireren. Meestal zijn dat bekende, onbereikbare droomvrouwen (Madonna!). Het kunnen ook vriendinnen zijn. Zouden homo's daarom altijd worden omringd door mooie vrouwen?

Wist je dat veel modeontwerpers eigenlijk voor zichzelf ontwerpen? Het is best handig om te weten hoe kleding zit of staat. Een homo is vaak eerder bereid zichzelf voor te stellen in vrouwenkleding.

Bijna alles over Jean Paul Gaultier (1952)

Heeft Jean Paul Gaultier de meest sexy kleding ontworpen? Oordeel zelf. Hij bedacht doorzichtige truitjes van een soort nylonkousmateriaal, beha's met torpedopunten en strakke catsuits. Mannen verraste de Fransman met rokken, en voor vrouwen ontwierp hij een raadselachtig kledingstuk dat een kruising was tussen een rok en een broek (maar geen broekrok!). Toch dankt Gaultier zijn beroemdheid niet alleen aan aparte, sexy mode. Hij zette ook heel veel (draagbare) trends. Best veel daarvan waren geïnspireerd op sportkleding. Van het wielrenbroekje maakte hij een spannende glimmende versie. En de sportstrepen van een trainingsjack zette hij op de mouwen van een keurig colbertjasje. Telkens weer kopieerde de mode-industrie zijn originele ontwerpen (en verdiende er lekker veel geld aan).

Maar zoals Coco Chanel ooit zei: 'Imitatie is het beste compliment dat je als ontwerper kunt krijgen.' En als grote Chanel-fan zal Gaultier het zeker met haar eens zijn. In Frankrijk is Gaultier al jaren een modegod. In Nederland kennen wij hem vooral van zijn mooie parfumflesjes (in de vorm van een vrouwentorso).

En natuurlijk van de van hem gekopieerde ontwerpen. Het laatste ontwerp dat na-apers veel geld opleverde, was Gaultiers wijde zigeunerrok. Wie had er in de zomer van 2005 niet een? Overigens, de kleine ontwerper met zijn witte stekeltjeshoofd is zelf ook een fanatieke rokkendrager. En heeft hij geen rok aan, dan kun je hem herkennen aan zijn handelsmerk, het horizontaal blauw-wit gestreepte truitje. Hetzelfde dat Franse matrozen dragen.

Als kind wist Gaultier al dat hij in de mode wilde werken. Op zijn achttiende leerde hij het vak van Pierre Cardin. Je weet wel, die ontwerper van de waanzinnige maanmeisjeskleding. Aan Gaultiers eerste collecties, met rokjes van rieten onderzetters en armbanden van lege blikjes, was al te zien dat hij net zo creatief was als zijn leermeester Cardin. Jean Paul Gaultier was de eerste ontwerper die voor modeshows zijn modellen gewoon van de straat plukte, inclusief flaporen, haakneus of dikke kont. Net als zijn modellen 'pikt' hij ook zijn ontwerpen van de straat. Een van Gaultiers inspiratiebronnen is de chique Parisienne, het tuttige Parijse dametje met haar onafscheidelijke sigaretje, handschoentjes, kokerrokje, gestippelde sjaaltje en hoge trippelschoentjes. Gaultier heeft ook een muze. Dat is zijn grote vriendin Madonna. Ze steken elkaar regelmatig een helpend handje toe. Zo ontwerpt Gaultier opvallende outfits voor Madonna. Wereldnieuws was een zwart mannenpak met openingen op borsthoogte waar haar roze behacups uit staken. En omdat Madonna een echte vriendin is (en een echte fashionista) was ze niet te beroerd om daarna ook nog verkleed als gouden engeltje in een modeshow van Gaultier mee te lopen.

Altijd top: de polo

Veel kledingstukken zijn nieuwe versies van sportkleding die meestal al jaren bestaat. Zoals het poloshirt. Daar werd vroeger heel wat in afgetennist. Tegenwoordig rappen hiphoppers in oversized modellen. Hippe meisjes dragen ze piepklein. En vaders gaan in polo naar kantoor.

De eerste polo werd in 1933 bedacht door de Franse tenniskampioen René Lacoste. En dat werd tijd ook. Want tennissen in een overhemd met lange mouwen van dikke stof was best warm.

In samenwerking met een breifabriek bedacht Lacoste een heel nieuwe stof: het piquébreisel. Deze korrelachtige stof is dun, zit luchtig, rekt en absorbeert zweet. Tennissen werd opeens stukken leuker. En de mode ook. Vooral toen René Lacoste in de jaren vijftig polo's in alle kleuren van de regenboog ging verkopen. En dat krokodilletje dan, zul je vragen. Zo werd René Lacoste genoemd als tennisser.

Knutsel ze zelf:
pompons voor aan je sportsokken

Moeilijk? ○ makkie! ○ mwoah... ● ff doorbijten ○ hellup!?

Sporten wordt nog leuker met dansende pompons aan je sokken.

Eigenlijk wordt alles leuker met die vrolijke bolletjes - je sjaal, je muts, je

handschoenen, je tas, je oorlellen, je telefoon, en je eigen paardenstaart.

Dit heb je nodig:

- *karton*

- *een passer*

- *een bol (niet te dunne) wol*

- *een schaar*

- *een naald waar de woldraad door past*

Zo doe je het:

- Teken met de passer twee rondjes (doorsnee circa 6 cm) op het karton.

- Knip ze uit en maak er een opening in.

- Leg de twee rondjes op elkaar.

- Wikkel, vanuit het midden, de wol helemaal rond om de kartonnetjes.

- Knip de zijkanten los.

- Knoop het in het midden vast met een touwtje.

- Trek het karton eruit.

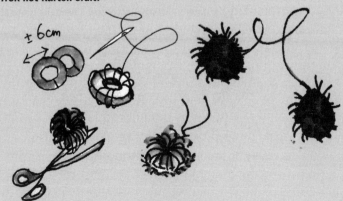

Mode van héél lang geleden: de Barok en de Rococo, van 1625 tot 1789. Mannen in geborduurde schilderijen en vrouwen in sprookjesjurken

Beroemdheden: Lodewijk XIV, Madame de Pompadour, Marie-Antoinette **Vrouwen- én mannentrend:** *krullenpruiken van wel een meter hoog* **Vrouwenmode:** *jurken met een strak bovenlijfje, diepe halsuitsnijding en enorme hoepelrok* **Mannenmode:** *platte kanten kragen, wijde kniebroeken (rhingrave) met strikken en linten rond de knie, geborduurde vesten* **Accessoires:** *waaiers, maskers, satijnen muiltjes, voor mannen een degen* **Kleuren:** *pasteltinten zoals roze, lichtblauw, lila en grijs* **Stoffen:** *kant, satijn, zijde met patronen (zoals granaatappels), bedrukt katoen* **Uitvindingen:** *het driedelige mannenkostuum en het zakhorloge, en voor vrouwen de mantua (een ruimvallende lange jas) en naaldhakken*
UIT: *geplooide molensteenkragen* **IN:** *hoge hakken (eerst voor mannen!), strikken, linten en kwasten (voor mannen én vrouwen)*

De mode in de Barok- en Rococostijl past precies bij de uitbundig versierde kerken en paleizen uit die periode. Ook dat lijken wel slagroomtaarten! Gebouwen zijn versierd met een heleboel krullerige vormen. Binnenshuis, – of beter gezegd binnenkasteels – zie je gouden spiegels met gekrulde lijsten en stoelen als tronen. En die plafonds! Ze keken niet op een geschilderd engeltje meer of minder. Overigens ook niet op de prijs van stoffen. Een weefsel van gouddraad kostte wel zevenduizend euro per meter. Een meter luxe fluweel of zijde 'maar' duizend euro. Een van de eerste stijliconen was Madame de

Pompadour, de vriendin van de koning van Frankrijk, Lodewijk xv (die wel getrouwd was, maar hordes vriendinnen had). Madame was een echte trendsetter. Liep zij met een rijstpapieren waaier uit China? Dan wilde iedereen die. Het gerucht gaat dat ze elke dag een andere jurk droeg.

Korsetten werden nog steeds gedragen. Net als wijde rokken, die werden alsmaar breder. Hakken werden steeds hoger. De romantische schrijver en vrouwenversierder Casanova schrijft daar grappig over. Op een koninklijk feestje zag hij vrouwen als kangoeroes dansen: op hooggehakte muiltjes terwijl ze hun hoepelrok omhooghielden.

Pruiken reikten wel een meter hoog. En dat was oppassen geblazen in het kaarsentijdperk. Regelmatig vatten torenhoge kapsels vlam.

Marie-Antoinette, de vrouw van Lodewijk xvi, was vanaf 1760 het volgende stijlicoon. Zij bedacht de romantische boerinnetjestrend. De *robe polonaise*, een jurk met een lange wijde rok met draperieën, was geïnspireerd op de manier waarop boerinnen hun rok bij elkaar pakken als ze koeien gingen melken. Er hoorden grote hoeden bij die versierd waren met kunstbloemen en linten.

Mannen gingen net zo romantisch gekleed. Onder hun open gedragen jassen (een *frac*) zaten prachtige vesten waarop hele schilderijen waren geborduurd. En om de nek hoorde een *jabot*, een soort slabbetje, gemaakt van peperduur kant. Kniebroeken zaten zo strak dat mannen bijna niet durfden te gaan zitten!

In 1770 kwam het eerste damesmodetijdschrift in Engeland uit.

Hoofdstuk 7

Kunstige kleren

*'Ik ben geen kunstenaar. Nou ja, misschien een kunstenaar
met een kleine k.'*
John Galliano

Is mode kunst? 'Oh nee, écht niet!' roepen sommige
mensen. 'Jawel!' weten anderen zeker. Tja, nou weet je
nog niks. Behalve dat de meningen verschillen!
Zeker is dat confectie – al die rokjes, broekjes en jasjes
die je in winkels kunt kopen – geen kunst is. Die kleding
wordt namelijk gemaakt in gigantische aantallen. Van
wel honderden tot duizenden per kledingstuk! Daar zit
niets kunstigs meer aan.
Kunst is meestal uniek. Uniek betekent dat er maar één
van is. Máárrr... die ene jurk waarvan er op de hele
wereld maar één is gemaakt, hoeft geen kunst te zijn.
Uniek betekent namelijk ook nog bijzonder. Zo bijzonder
dat als je dat kledingstuk ziet, je mond openzakt
van verbazing. Je adem stokt. Je valt bijna flauw van
opwinding. Waaauw!
Van een mooi schilderij kun je je dat wel voorstellen,
maar van een jurk?

Tranentrekkende jurken

Maar echt, ook een kledingstuk kan ontroeren. Vooral de
avondjurken van de Franse ontwerper Christian Lacroix

zijn tranentrekkers. Waarom? Door de knappe manier
waarop ze gemaakt en versierd zijn. Met duizenden
pailletjes of glimmende kristallen en oogstrelende
borduursels. Zouden elfjes die er met hun kleine
vingertjes op genaaid hebben?
Ooh, en dan die al die wolken van doorzichtige stoffen
over elkaar heen. Ze veroorzaken de meest betoverende
kleurcombinaties.
Snik, snik. Krijg je ooit de kans om in Parijs een show
van de couturier Lacroix mee te maken, grijp 'm dan!
(En vergeet geen zakdoekjes mee te nemen.) Maar
wakker worden! Want laten we eerlijk zijn, die kans is
piepklein. Gelukkig zijn er modetijdschriften genoeg.
Maar ook helaas. Voor de meeste mensen is deze
peperdure mode alleen om naar te kijken. Onbetaalbaar.
Net kunst dus!

Een jurk als een schilderij

Sommige modeontwerpers kun je gerust kunstenaars
noemen. Zoals dus Christian Lacroix met zijn
ontroerende jurken. Maar Yves Saint Laurent is er ook
een! Deze couturier heeft met zijn 'hogere naaikunst'
al heel wat vrouwen aan het huilen gebracht (vanwege
de schoonheid van zijn kunstwerkjes, én de hoge
prijskaartjes).
Yves liet ons in 1965 zien dat kunst en mode samen
kunnen gaan. Hij maakte een jurk als schilderij. Of was
het nou een schilderij als jurk? Verf kwam er in elk geval
níét aan te pas!
Het model van de jurk was eenvoudig: recht, en tot net
boven de knie.

Voor de jurk die Yves ging maken bestudeerde hij een schilderij van de Nederlandse schilder Piet Mondriaan uit 1928 eens goed. Dit doek had een witte ondergrond en zwarte horizontale en verticale balken. Linksboven zat een rood blokje. Dat patroon kan ik mooi op een jurk naaien, moet Yves gedacht hebben. Het resultaat was prachtig! De Mondriaan-look was hip in de jaren zestig. En wat hip is wil iedereen. Dus gingen handige mensen de jurk namaken en verkopen. In het Haags Gemeentemuseum hebben ze zo'n nepjurk.

Yves flikte het kunstige kunstje vaker. En een schilderij van Picasso kwam als borduursel terecht op een heel wijde rok. Nou, hoe mooi het ook was geworden, niemand maakte dit na. Véél te ingewikkeld.

Yves Saint Laurent heeft nu zijn eigen museum. In Parijs natuurlijk. In het huis waar hij dertig jaar lang werkte. Daar wordt ook die kunstige Mondriaan-jurk goed bewaard. En ja, je bent rijk of niet: het echte Mondriaan-schilderij (dat miljoenen waard is!) hangt er mooi naast!

Een schoen als hoed

Wat gebeurt er als een kunstenaar en een modeontwerper gaan samenwerken? Dan krijg je héél aparte dingen: een riem met een lippengesp, een kreeftjurk, een jas met laatjes, een schoen als hoed en een tas in de vorm van een telefoon.
De modeontwerpster Elsa Schiaparelli bedacht het allemaal met de kunstenaar Salvador Dalí. Samen stikten ze van de fantasie! De Spaanse Dalí was beroemd geworden met schilderijen met 'slappe' horloges en vrouwen met laatjes in hun buik. De stijl waarin hij schilderde heet surrealisme. Droom en werkelijkheid lopen dan door elkaar heen. In de jaren dertig van de vorige eeuw was deze schilderstijl erg populair. Vooral bij de Italiaanse Elsa: zij werkte graag met surrealisten. Schiap (haar bijnaam) vroeg gewoon aan kunstenaars

om iets voor haar te ontwerpen. De bekende Picasso bedacht zwarte leren handschoenen met knalrode nagels. En een tekening met vrouwenhoofden van de Franse kunstenaar Cocteau liet Schiap op een avondjurk borduren.

Zelf had Schiaparelli ook genoeg ideeën. Ze was gek op sterren (haar vader was sterrenkundige), muziek en circus. Erg grappig was haar circuscollectie uit 1938. Daarin zaten korte jasjes met olifanten erop geborduurd en jurken met draaimolens. Overigens was Schiaparelli ook de eerste ontwerpster die ritsen gebruikte! En ze maakte kleding van vreemde stoffen, die eruitzagen als gekreukeld papier en boomschors. Of van gaas, zo doorzichtig als glas. Daar maakte ze capes en ceintuurs van. Kortom, niet bepaald ontwerpen voor verlegen mensen! Gelukkig waren filmsterren zoals Greta Garbo en Marlène Dietrich grote fans.

Maar het leuke van Schiaparelli was dat ze ook voor de 'gewone' vrouw ontwierp. Zoals gebreide truien met ingebreide strikken. En haar mantelpakjes hadden altijd wel een lollig kraagje of zakje. Nu was die kleding nog steeds best duur. Schiaparelli bedacht voor iedereen wat. Betaalbaar waren haar sieraden, panty's, parfum en hoedjes.

Typ de naam Schiaparelli in op een veilingsite, dan zie je hoeveel geld mensen daar nu nog voor willen neertellen. Ja, Elsa Schiaparelli is zeker een van de bijzonderste ontwerpers ooit geweest!

gouden modetips

WIJZE WINKELADVIEZEN (VOOR GEVORDERDEN) VAN ELSA SCHIAPARELLI

- *Koop nooit kleding die past, maar zorg dat je lichaam past in de kleren die je écht wilt.*
- *Ga nooit winkelen met een vriendinnetje.*
  Zij zal vaak onbedoeld jaloers zijn.
- *Meisjes moeten alleen winkelen, of met een vriendje.*
- *Weet wie je bent. En durf op te vallen!*

Duizelingwekkende dessins

De kunstschilder Victor Vasarely schilderde zijn leven lang vreemde patroontjes. Als je lang naar zijn schilderijen kijkt, dan krijg je hoofdpijn. En zie je het nou goed? Bewegen die zwart-witpatronen? Goh, het lijkt er wel op.
De stijl waarin Vasarely schilderde heet *op-art* – 'optische kunst'. Deze schilderstijl was rond 1960 erg hip. In die jaren waren er veel dingen – zoals kunst, mode en muziek – waar mensen erg blij van werden. Daarom staan deze jaren in de geschiedenisboekjes als *the swinging sixties*. Tijdens deze swingende jaren zestig was de belangrijkste modeontwerpster Mary Quant. Zij vond de minirok uit. En wat deed deze slimme Engelse dame? Zij maakte haar minirokjes van die opvallende, knallende stofjes. Je werd tureluurs als je er lang naar keek!

Gekke patronen zaten niet alleen op minirokjes
en jurkjes, maar ook op panty's. Je weet wel: die
afzakdingen die nooit zitten zoals jij wilt. Soms, als de
minimode weer even hip is, trekken we ze weer aan.
Want koude benen zijn geen lolletje. Maar of ze ooit
weer zo psychedelisch zullen worden als bijna vijftig jaar
geleden?

Wat doet mode in een museum?

Van mode kunnen we iets leren. Ja, echt! Bijvoorbeeld
wat mensen driehonderd jaar geleden mooi vonden. Ook
kun je leren dat elk tijdperk zijn eigen modetrends kende,
en waarom.
Neem die gedurfde korte minimode uit de swingende
jaren zestig. Er waren veel redenen waarom de rokjes
juist tóén zo kort waren. De jonge, vrolijke minimode
was een reactie op de strenge jaren vijftig. In deze
naoorlogse jaren viel er voor jongeren weinig leuks te
beleven. Dat veranderde in één klap met de komst van
swingende popmuziek. En pubers wilden kleding waar
ze lekker in konden dansen en sjansen. Hun mode moest
vooral anders zijn dan die stijve, ouderwetse kleding van
hun ouders.
Deze jeugdige modestijl was totaal anders dan de mode
waar mensen in de achttiende eeuw in liepen. Toen zag
je rokken zo breed dat je er gemakkelijk twee kinderen
onder kon stoppen. En dan al die lintjes, strikjes en
megahoge gekrulde pruiken! Ha, de mensen leken wel
slagroomgebakjes! Alleen de allerrijksten droegen deze
waanzinnig onhandige mode. Tuurlijk, die hoefden nooit
te werken! En aan hun indrukwekkende kleding kon

iedereen zien hoe belangrijk ze waren.

Over al dat soort dingen, en nog veel meer, kun je je
verbazen in een museum. Helaas heeft Nederland geen
echt modemuseum. Wel zijn er een paar musea waar
zo nu en dan modetentoonstellingen zijn. Zoals het
Gemeentemuseum in Den Haag, het Groninger Museum
en het Centraal Museum in Utrecht. Daar moet je eens
letten op de kleding van de suppoosten. Die dragen een
speciaal door Viktor & Rolf ontworpen spijkerpak.

Bijna alles over Viktor & Rolf (beide 1969)

Veel kleren van Viktor & Rolf zijn echte museumstukken. Je
zou ze wel als een schilderij aan de muur willen hangen. Of
ze zoals een standbeeld midden op een plein exposeren. Vooral
de couture die ze in het begin maakten is pure kunst.
Viktor Horsting en Rolf Snoeren kennen elkaar van de
kunstacademie in Arnhem. Sinds 1993 maken ze samen
kleding. Eerst werden ze een beetje bekend toen ze in Zuid-
Frankrijk drie modeprijzen wonnen. Oeps, ze moesten nog
een naam voor hun merk verzinnen! Het werd Viktor & Rolf.
Werkelijk wereldberoemd zijn ze nu. Hoe? Door opvallende
modeshows te geven waarin heel opvallende kleding
voorbijkwam. Zoals een jurk bezaaid met reusachtige strikken.
Of een jas met de grootste pofmouwen die je ooit hebt gezien.
En blouses met zulke grote kragen dat je het hoofd bijna niet
meer zag. Ja, best lastig voor in de supermarkt, maar geweldig
voor in een museum! En om aandacht van de modejournalisten
mee te trekken natuurlijk!
Inmiddels hebben V&R in 2003 hun tienjarig bestaan
gevierd. Dat deden ze in het Parijse modemuseum van het
Louvre. Daar exposeren alleen de grootste modeontwerpers

- zoals Yves Saint Laurent, hét voorbeeld van V&R - der aarde.

En dat is niet gek voor twee Nederlandse jongens uit Brabant die het vroeger op school vreselijk saai vonden. Als ze later groot waren, wisten ze wat ze wilden: glamour en glitter!
'Als de glamour niet naar ons toe komt, zullen wij naar de glamour moeten,' zei Viktor (of was het Rolf? Ze lijken nogal op elkaar) in een interview. Dus toog de modetweeling naar het centrum van de mode: Parijs. Maar na een paar jaartjes ploeteren in Parijs kwam het duo weer naar Amsterdam. Niet met hangende pootjes! Ze hadden immers wel lekker lang kunnen ruiken aan de Parijse modeglamour.
Binnen de kortste keren gaven ze spraakmakende modeshows. Betoverend was een modeshow in het bijna-donker. Het publiek kon de kleding niet zien maar horen! Dat kwam doordat er duizenden belletjes aan de kleding waren genaaid. Een beetje eng en somber was die keer dat niet alleen de kleren zwart waren, maar ook de hoofden en handen van de modellen!
Wat zou de modewereld saai zijn zonder Viktor & Rolf. Draagbare kleding ontwerpen Viktor & Rolf inmiddels ook. Net als bij een couturestuk zitten er dan ook strikjes op. Maar die zijn dan véél kleiner.

Altijd top: het korset

Het korset is een knap kunstwerkje. Maar eigenlijk is het ook een martelwerktuig. Het zit zo strak dat je er alleen rechtop in kunt staan, of heel voorzichtig zitten. Au! Toch zijn er mensen, zoals voormalige Spice Girl Victoria Beckham en ene Mister Pearl, die het vaak dragen. De laatste slaapt er zelfs in! Hij is korsettenmaker. Toen zangeresje Posh Spice ging trouwen met haar voetballer David Beckham snoerde Mr. Pearl haar middeltje in tot 45 centimeter! Ja, wie mooi wil zijn moet pijn lijden! Het korset is een stokoude uitvinding. Al vanaf de 15ᵉ eeuw werd het gedragen als onderkleding. Een korset bepaalde het silhouet van de vrouw. En in sommige periodes ook dat van de man!

De oudste korsetten zien er gruwelijk uit. Ze waren van ijzer en lijken nog het meest op vogelkooitjes. Soms zie je nog weleens een verroest exemplaar in een museum. Later kwamen mensen op het idee om ze ook van stof – met ijzerstaafjes ertussen – te maken. Dan zagen ze er wat minder angstaanjagend uit. Maar ongemakkelijk bleven ze. Waarom vrouwen ze dan per se aan wilden? Dat had te maken met het soort leven dat vrouwen leidden. Werken zoals mannen deden, dat mochten rijke vrouwen vroeger niet. Ze hadden het vooral druk met handwerken, kletsen en mooi en slank zijn. Bij dat laatste kwam het korset mooi van pas. Hiermee kregen vrouwen hun bovenlichaam in elke gewenste vorm. Welke? Dat was afhankelijk van het heersende schoonheidsideaal. En dat varieerde nogal. Van omhooggeduwde borsten tot een borst zo plat als een dubbeltje. Van een bolle buik tot een holle rug. Het meest recent is de wespentaille. Die

plooien

strik →

Drapeer het zelf: een bovenstukje

Moeilijk? ○ makkie! ● mwoah... ○ ff doorbijten ○ hellup!?

Hier komt geen naaimachine aan te pas! Wel lef. Steel het mooiste zijden sjaaltje van je moeder. Is je moeder geen sjaaltjesmens? Koop dan een mooi exemplaar op de vlooienmarkt. Je vindt ze met de wildste patronen!

Dit heb je nodig:
- *een vierkant sjaaltje of een soepel vallend lapje stof van 80 bij 80 centimeter*
- *een stel handige vingers*

Zo doe je het:
- Ga voor de spiegel staan.
- Pak met elke hand een puntje van de stof.
- Houd het sjaaltje voor je hals.
- Leg de punten in een knoop in je nek. De bovenkant zit vast!
- De stof hangt nu als een slabbetje op je buik.
- Pak de onderste punten en knoop ze dicht op je rug.

Je hipste jeans eronder, en klaar! Wil je echt schitteren, prik er dan nog een broche op (de mooiste uit het juwelenkistje van je moeder).

was vijftig jaar geleden nog in de mode. De ijzerstaafjes
waren toen allang vervangen door buigbare baleinen
- materiaal uit de bek van een walvis - of goedkoop
plastic.

 **Mode van héél lang geleden: Europa van 1800 tot 1830. Mannen
in slanke jassen en vrouwen in dodelijke jurken, en het eerste
handtasje**

Beroemdheden: Napoleon, keizerin Eugénie
Vrouwenmode: lange sluike jurken met pofmouwtjes, heel
korte jasjes (spencers) *Mannenmode:* geknoopte halsdoeken,
lange strakke jassen *Nieuw:* modetijdschriften *Trend:*
kasjmier sjaals *Accessoires:* teenringen, enkelkettingen,
pantoffelachtige muiltjes en handtasjes *Modekleuren:*
wit, hardgeel, lavendelblauw, lichtroze en beige *Stoffen:*
transparante stoffen zoals mousseline en batist *Egyptische
motieven:* laurierkransen en meanders *Uitvindingen:* de
onderbroek (in huidskleur), linker- en rechterschoenen
UIT: pruik *IN:* het korte krullende Titus-kapsel

Vanaf 1800 ontstond een van de opmerkelijkste mode-
stijlen: de *Empirestijl.* Daar had keizer Napoleon alles mee
te maken. De grote inspiratie van Napoleon, en dus ook
van zijn kleermaker, was de klassieke tijd van Rome en
Griekenland. Niet alleen op politiek gebied, maar ook in
de kunst en de architectuur. En die invloed ging heel ver.
In een Empirejurk lag het accent voor het eerst in
honderden jaren niet meer op de taille. Maar vlak
onder de borsten! De taille was flink omhooggeschoven.
Hippe vrouwen leken in zo'n rechtvallende jurk eigenlijk

111

verdacht veel op een pilaar van een Griekse tempel!

En om het nog een tikje gekker (Griekser) te maken, was het grote mode om de dunne stof van de *robe en chemise* (hemdjurk) nat te maken. Waarom was dat nou weer? Vrouwenkleding was geïnspireerd op Griekse geplooide jurken. Om de plooien zo goed mogelijk uit te laten komen werd de stof nat gemaakt. Dan plakten de fijne stofplooitjes mooi aan de huid. Net als bij een Grieks beeld! Deze vochtige mode kostte veel vrouwen het leven. Een longontsteking was zo opgelopen!

De doorzichtige nachtjaponachtige mode was sexy met zijn laag uitgesneden halslijnen. Maar warm zat hij niet. Kasjmier sjaals werden daarom een grote trend. Dat gebeurde nadat Napoleon zulke in Kasjmir (India) gemaakte sjaals uit Egypte voor zijn vrouw had meegenomen.

De rechtvallende Empiremode bracht ook nog iets leuks voort: het handtasje (de *reticule*). Een logische uitvinding. Want zoals je zult begrijpen waren bobbelige zakken in zo'n mooie rechte jurk geen gezicht!

De mannen waren verslingerd aan de Engelse mode. Versieringen zoals mooie borduursels raakten uit de mode. Er net zo uitzien als een Engelse dandy was het ideaal. Maar wat zat hun kleding strak! Ook de mannen leken een stukje langer dan ze eigenlijk waren. Daar zorgden de hoog opgezette kragen, lange jassen en hoge strakke broeken voor. En zonder hoge 'kachelpijphoed' en wandelstok ging geen heer de deur uit. Vooral omdat ze - als het nodig was - daar iemand lekker een mep mee kunnen verkopen!

Malle nepmode

Valse kuiten. Vanaf 1700 raakten laarzen uit de mannenmode. Dus kwamen de kuiten in zicht! IJdele mannen met slappe kuiten stopten houten 'nepkuiten' in hun kousen. Zelfs keizer Napoleon verstopte zijn spillepoten met deze hulpstukken.

Opgeplakte wenkbrauwen. Piep! Valse wenkbrauwen, die gemaakt waren van streepjes muizenbont, werden in de achttiende eeuw gekocht door modieuze dames. Het moest niet al te warm worden, want dan zakten de bontjes!

Mouches (spreek uit: moesjes). Dit waren stickertjes die vrouwen vanaf 1770 op hun hoofd plakten. Sommige hadden namen. De 'brutale' zat bij het oog, bij de mond werd de 'hartstochtelijke' geplakt. Er waren ook plakkertjes in de vorm van maantjes, sterretjes en zonnetjes.

Hoofdstuk 8

Van catwalk tot in je kast

*'Mijn dochter woont in mijn kast. Ze heeft meer stijl dan ik.
Haar favoriete ontwerpers zijn Dolce & Gabbana, Miu Miu
en Prada.'*
Madonna, over haar dochtertje Lourdes

Een van de spannendste dingen die je in je leven mee
kunt maken is een modeshow. En dan bedoelen we
niet het jaarlijkse avondje van modehuis De Boer uit
Meppel dat in buurthuis Het Zonnestraaltje de nieuwe
wintermode laat zien. Echte, superopwindende en
professionele modeshows zie je in New York, Londen,
Milaan, Parijs, en ja, Amsterdam telt ook een beetje mee.
Modeshows bestaan zo'n honderd jaar. Tot de jaren zestig
waren ze stukken saaier dan nu. De mannequins - zo
noemden ze modellen vroeger - hadden in hun hand een
genummerd kaartje. In het programmaboekje konden
de mensen in de zaal de naam van de jurk vinden en
opzoeken van welke stof deze was gemaakt. Rustig,
keurig en beschaafd allemaal. Keiharde muziek en
flitsende lichteffecten bestonden nog niet. Een *ladyspeaker*,
altijd een keurige dame, kletste de jurkjes gezellig aan
elkaar. En het publiek keek ademloos toe vanaf gouden
stoeltjes. Modeshows vonden plaats in heel mooie kamers,
die ook wel salons werden genoemd.
Vanaf de jaren zeventig veranderen modeshows in
spektakels. Een van de eerste jonge ontwerpers die Parijs

op zijn kop zetten, was de Japanner Kenzo. Zijn modellen dansten op harde muziek vrolijk over een verhoogd langwerpig podium, de catwalk. Ook verplaatsten shows zich van kleine chique salons naar grote tenten.

Inmiddels zijn we dertig jaar verder en lijken sommige shows meer op een theatervoorstelling. Kampioenen in modeshow geven zijn Viktor & Rolf en Alexander McQueen. Maar de Turks-Cypriotische ontwerper Hussein Chalayan kan er ook wat van. Hij liet eens meubels veranderen in kledingstukken. Zo maakte een model van een tafel een rok. Ze liep op een ronde lage tafel af. Tilde toen met één vinger, (alsof het een deksel van een pannetje was), het ronde middenstuk uit de tafel. En ten slotte stapte ze in de opening en trok ze het tafelblad als een harmonica omhoog om het aan haar taille vast te zetten. Het publiek keek ademloos toe.

Supermodellen

Een modeshow zonder modellen is ondenkbaar, want kleding moet bewegen om goed te worden beoordeeld. Maar wie die modellen waren, deed er nooit zoveel toe. In de jaren negentig werden modellen opeens wél heel belangrijk. Ze kregen zelfs praatjes! En ze gaan heel veel geld verdienen. 'Voor minder dan 10.000 dollar kom ik mijn bed niet uit!' riep het Canadese topmodel Linda Evangelista in 1997.

Rond die tijd zag je tijdens een modeshow van de Italiaanse Gianni Versace alle topmodellen voorbij paraderen. 'Maar wie was nou de mooiste?' vroeg iedereen zich af. Was dat de Amerikaanse Christy Turlington, de Duitse Claudia Schiffer, de Zweedse

Helena Christensen, de Amerikaanse Cindy Crawford of de Nederlandse Karen Mulder? De winnaressen zijn Naomi en Kate. Want deze twee toppers, die zelfs zonder achternaam wereldberoemd zijn, werken zich nog steeds te pletter. En ook als ze niet werken zijn ze in het nieuws met hun vriendjes of drugsproblemen.

En dan heb je ook nog modellen die opvallen door hun uiterlijk. Of door een gek loopje. Gisèle Bündchen werd bekend door haar *horsewalk*. De Braziliaanse trok haar benen zo hoog op dat het leek alsof ze een paard was! Een ander bekend model, de blonde Sophie Dahl, werd wereldberoemd omdat ze lekker mollig en mooi was (en omdat haar opa de bekende kinderboekenschrijver Roald Dahl was). Sophie is nog even mooi, maar tegenwoordig wel net zo mager als al haar collegaatjes. Dat is natuurlijk een groot nadeel van model zijn: je mag niet zoveel eten, want anders pas je niet in de kleertjes! Ook is het vervelend dat je voor sommige shows geen geld krijgt. Dat komt doordat er ontwerpers zijn die hun modellen 'betalen' in kleding of schoenen. Nou, wat erg!

Praatjes en plaatjes vullen de modeblaadjes

Tijdschriften zijn hét lesmateriaal voor fashionista's. Als in schoolboeken zulke leuke plaatjes stonden, dan zou school nog leuker zijn! Het eerste Nederlandse modetijdschrift, *Kabinet van mode en smaak*, verscheen in 1791. In het blad stond ook van alles over meubels, kunst en theater. Voor de komst van modetijdschriften bleven mensen op de hoogte dankzij zwart-witte modeprenten. Deze prachtige platen werden getekend door kunstenaars en waren erg populair. Tot ongeveer 1915 zaten ze los in sommige modebladen.

Modetijdschriften met foto's bestaan sinds het eind van de negentiende eeuw. Het oudste, bekendste modeblad dat nog steeds bestaat is *Vogue*. Het eerste exemplaar verscheen in 1893 in Amerika. Bijna 25 jaar later volgde een Engelse versie. Inmiddels verschijnt deze glossy met zijn glanzende pagina's in talloze landen in allerlei talen. Er is inmiddels een *Vogue* voor mannen. Ook wordt er in Amerika een *Teen Vogue* gemaakt, speciaal voor tieners. In Nederland kopen hippe tieners glossy's als de *ELLEgirl* en *Cosmogirl*.

Naast de Nederlandse bladen vullen stapels buitenlandse modebladen de tijdschriftenschappen. Net als *Vogue* komen ook veel andere tijdschriften - zoals *Elle*, *Cosmopolitian*, *Red*, *Glamour* en *Marie-Claire* - uit in veel verschillende landen.

Tot een aantal jaren terug waren modebladen onmisbaar. Sinds internet zijn ze eigenlijk overbodig geworden. Via websites als www.style.com kun je een dag na de shows de foto's al bekijken!

Kijk uit met spleetjes

Het maken van een modetijdschrift is een hele klus, waar heel veel mensen voor nodig zijn. Een hoofdredacteur (dat is trouwens meestal een vrouw) is de baas. Zij of hij bepaalt met een redactie (een groep mensen die alles af weten van bijvoorbeeld mode, boeken, make-up, uitgaan, reizen en roddels) de inhoud.

Weer andere creatieve mensen voeren hun ideeën uit. Om een fotoreportage te maken heb je modellen, make-

upmensen (visagisten) en natuurlijk een fotograaf nodig.
De bérgen kleding worden bijeengezocht door stylisten.
Verder wordt een blad gevuld met artikelen en rubrieken
die worden geschreven door journalisten en redactrices.
Als er bij een artikel mooie tekeningen nodig zijn, dan
worden die gemaakt door een illustrator.
De voorkant - de cover - van een tijdschrift is erg
belangrijk. Er worden zelfs onderzoeken gedaan om
uit te vinden welke voorkanten wél en welke helemaal
níét verkopen. Ook worden covers soms voordat ze in
de winkel liggen eerst getest. Dat had het Nederlandse
tijdschrift *Elle* een tijdje geleden beter ook kunnen doen.
Dan hadden ze vast geen lachend model met een spleetje
tussen haar tanden op de voorkant gezet. Nu lieten veel
mensen het liggen. Vreemd genoeg doen modellen met
een kleurtje de omzet ook niet stijgen. In tegenstelling tot
beroemde hoofden. Zet Britney, Gwen of Madonna op de
cover, en het blad is in no time uitverkocht!

Winkelen tot je erbij neervalt!

Als je net zo'n leuk modetijdschrift uit hebt, of een hippe modewebsite hebt bekeken, dan weet je het zeker: je hebt écht niets leuks om aan te trekken! Herken je dat? Erg, hè? Er is maar één oplossing: *shop till you drop!* Winkelen tot je erbij neervalt dus.

De laatste jaren is winkelen steeds leuker geworden. Bij winkelketens als Hennes & Mauritz, Mango en Zara vind je elke dag goedkope én nieuwe mode.

Bovendien bedenken die winkels speciale acties. Zo ontwierpen Stella McCartney en Karl Lagerfeld, de ontwerper van het peperdure luxemerk Chanel, een collectie speciaal voor Hennes & Mauritz. Nooit eerder vlogen kledingstukken zo snel een winkel uit!

Maar alleen kleding verkopen is niet meer genoeg. De sfeer in een winkel is ook belangrijk. Daarom worden winkels steeds mooier. In New York opende Prada een winkel als kunstwerk. De paskamers zijn gemaakt van speciaal glas dat ondoorzichtig wordt als je iets gaat passen. Magische spiegels filmen alles wat je past.

Ook Parijs heeft zo'n toeristische modeattractie: Colette. Maar fashionista's bezoeken dit miniwarenhuis niet om de inrichting, maar omdat je hier élke dag nieuwe kleren, tasjes, boeken en mooie gadgets – de allerlaatste iPod – en de hipste nieuwe cd's vindt. Er is een dj die tijdens het winkelen coole plaatjes draait. En chillen kun je in een heuse 'waterbar'.

De meest mannen haten winkelen. Een winkelcentrum in Engeland richtte daarom een speciale ruimte in met spullen voor mannen. Een soort ballenbak dus.

Waarom zijn er modeshows?

Omdat modeontwerpers twee keer per jaar hun nieuwe kleding willen laten zien. In januari showen ze altijd de wintermode voor later dat jaar. En in oktober de mode voor de volgende zomer.
Na een show kunnen inkopers van winkels alle nieuwe kleren nog eens rustig bekijken in een showroom. En dan maar hopen dat ze zin krijgen om bestellingen te plaatsen! Want daar draait het uiteindelijk allemaal om.

Wil je ook weleens een modeshow zien? Jaarlijks in mei en juni studeren er in Nederland verse modestudenten af. Kijk voor data op de websites van kunstacademies, bijvoorbeeld:
- Amsterdam: www.gerritrietveldacademie.nl
- Utrecht: www.hku.nl/hku/show
- Rotterdam: www.abk.hro.nl
- Den Haag: www.kabk.nl
- Arnhem: www.artez.nl

Bijna alles over Dolce & Gabbana

Dolce & Gabbana verkopen mode voor iedereen. En van
alles, van héél betaalbaar tot knetterduur. Er bestaan onder
andere D&G-onderbroekjes en hemdjes, sneakers, T-shirts,
ceintuurs, tassen, zonnebrillen, parfums, spijkerbroeken
en glamoureuze avondjurken. Deze dure jurken worden
vooral gekocht door beroemdheden zoals popzangeres Kylie
Minogue, voetbalvrouw Victoria Beckham en - daar heb je d'r
weer - Madonna. Zij en Dolce & Gabbana hebben trouwens
ook nog iets gemeen. Met z'n drieën zijn ze al ruim twintig
jaar succesvol!

Begin jaren tachtig krijgen Domenico Dolce (een klein
kaal kereltje uit 1959) en Stefano Gabbana (een lange
man mét haar uit 1963) verkering. Samen een modemerk
beginnen zien ze wel zitten. Domenico is geboren in een
kleermakersfamilie. Stefano werkte ook al jong in de mode.
Ze vormen dan ook een prima duo. Terwijl de een patronen
maakte, knipte de ander de stof en naaide de kleding.

In 1985 showt het liefdesstel hun eerste collectie met de
naam 'Echte vrouwen'. En nog steeds zien Dolce &
Gabbana vrouwen het liefst als op-en-top vrouw. Om het
vrouwenlichaam zo sexy mogelijk uit te laten komen, snoeren
ze vrouwen graag in in een mooi korset. Zo komen de ronde
vormen nog beter uit. Met veel ruches en doorzichtig kant
maken ze hun ontwerpen nog verleidelijker.

D&G zijn ook dol op dierenprints. Vaak lijkt het wel alsof
ze een dierentuin hebben geplunderd, zo vaak gebruiken
ze motieven van tijgers, panters, giraffen, zebra's, slangen
en hagedissen. Een andere belangrijke inspiratiebron zijn
Italiaanse filmsterren als Sophia Loren en Claudia Cardinale.
In 2004 raakt de verkering van Dolce en Stefano uit.
Gelukkig betekent dit wereldnieuws niet het eind van hun

121

succesvolle merk. Stel je voor zeg! Waar moeten al hun beroemde en minder beroemde fans dan hun supersexy outfitjes halen?

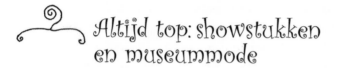 Altijd top: showstukken en museummode

Tijdens modeshows zie je soms de gekste dingen voorbij-komen.

Wie o wie trekt die waanzinnige mode aan? Nou, hou je vast. Niemand! De waarheid is dat je complete collecties nooit op straat zult zien.

De allerwijdste rokken, de grappigste hoeden en de kleurrijkste jurken, het zijn allemaal showstukken! Erg goed in het maken van zulke theaterachtige mode zijn ontwerpers als John Galliano (rokken van drie meter doorsnee), Jean Paul Gaultier (een superpuntige beha), Vivienne Westwood (kronen als hoeden), Viktor & Rolf (kussens als kragen), Martin Margiela (een net echte boa constrictor als sjaal) en Hussein Chalayan (een jurk met uitschuifbare vliegtuigpanelen).

Gelukkig kopen musea die opvallende kledingstukken en accessoires wel. Zo kunnen wij er toch nog van genieten.

Rijg het zelf: een ketting van raffia

Moeilijk? ○ makkie! ● mwoah... ○ ff doorbijten ○ hellup!?

Met een ketting maak je een outfit nog leuker. Om een ketting van zeventig centimeter lang te maken heb je nodig:

- *twintig verschillende kralen*
- *een schaar*
- *een centimeter*
- *raffia*

Zo doe je het:

- Knip een stuk raffia van 80 cm af.
- Knip ook twintig kleine stukjes raffia van 5 cm.
- Rijg alle kralen aan de lange draad van raffia.
- Knoop de uiteinden van de draad aan elkaar.
- Knoop, op regelmatige afstand, tussen elke kraal een stukje raffia.
- Knip de stukjes raffia bij op de lengte die je mooi vindt.

Mode van héél lang geleden: de Biedermeiertijd, van 1830 tot 1890. Mannen in smokings en vrouwen in baljaponnen

Beroemdheid: koningin Elisabeth (Sissi) van Oostenrijk
Couturiers: Charles Worth, Paquin, de gezusters Callot
Vrouwenmode: jurken met blote schouders, de smalste tailles en de wijdste hoepelrokken ooit **Trends:** *luxe, kant, een 'verhoogd' achterwerk (tournure)* **Accessoires:** *luifelhoeden, waaiers, mutsen van kant, haarkammen, leren laarsjes*
Stoffen: *gebloemde en geruite stoffen van katoen, zijde*
Kapsel: *lange pijpenkrullen* **Uitvindingen:** *de naaimachine, synthetische verfstoffen, machines weven katoen, wollen stoffen en kant*
UIT: *de rechtvallende jurk* **IN:** *de superslanke wespentaille*

Tijdens het Biedermeiertijdperk zagen alle jurken eruit als baljaponnen. Wat romantisch! Het opvallendst waren de gigantische pofmouwen en indrukwekkende rokken. Hieronder kon je makkelijk verstoppertje spelen! Vanaf 1850 werden de rokken alsmaar wijder. En zwaarder. Om een rok zo wijd mogelijk te krijgen zaten er nog eens een stuk of vier rokken onder. De rokkenlagen verdwenen na de uitvinding van buigzame staaldraden in de vorm van een rok.

Na afwezigheid van ruim 25 jaar kwam het korset terug. (Ook ijdele mannen droegen ze!) De taille was dunner dan ooit.

Rond 1875 veranderde de kolossale rok van vorm. De voorkant werd plat en de achterkant langer. Het achterwerk werd verhoogd met kussentjes van paardenhaar. Deze rare mode verdween heel even, om tien jaar later nog hoger en groter terug te

komen. De kussentjes hadden nu plaatsgemaakt voor
ijzerdraadconstructies. Als een dame ging zitten kon ze
deze inklappen.
De Amerikaanse Amelia Bloomer probeerde in 1847 een
gemakkelijk zittende wijde pofbroek te introduceren.
Maar vrouwen waren er nog niet klaar voor.
Kleermakers kregen concurrentie van de opkomende
confectie-industrie. Dandy's bleven echter gewend
aan maatwerk. De minder rijke mensen kochten wel
confectiepakken.
De mannenmode werd steeds strakker, maar ook saaier
en kleurlozer. Het opvallendst zijn de lange jassen met
slippen. De vestjes die eronder gedragen worden zorgden
voor afwisseling.

←— wespentaille

Hoofdstuk 9

Oud maar niet afgedankt

*'Ik ga nooit naar vlooienmarkten. Ik haat ze! Het lijken wel
kerkhoven. Tweedehandswinkels bezoek ik ook nooit.'*
Karl Lagerfeld

Hoeveel je ook van kleren houdt, vroeg of laat wil je
ervanaf. Boze stemmen fluisteren dat wij tegenwoordig
onze spullen al na een paar keer dragen zo de prullenbak
in mikken. Zou dat soms komen doordat de kleding bij
Hennes & Mauritz zo goedkoop is?
Oké, als iets kapot is, gooi je het weg. Wat doe je als iets
niet meer past? Of als je het opeens stom vindt?
Je kunt je spijkerbroek naar het Leger des Heils brengen.
Deze liefdadigheidsinstelling verzamelt oude kleding.
Er komt daar per jaar zo'n tien miljoen kilo binnen! De
leukste kleding verkopen ze spotgoedkoop in hun eigen
winkels. De rest sturen ze naar arme landen.
Maar eerst wordt alles uitgezocht. Dat doen grote
sorteerbedrijven. Die kijken naar de kwaliteit en letten op
merkkleding of bijzondere kledingstukken. Die gaan naar
tweedehandswinkeltjes, waar mensen ze voor veel geld
kunnen kopen.

Ongewenste kleding

Er is ook kleding waar het slechter mee afloopt. Zoals
versleten kleding. Of kleding die in de fabriek slordig

of verkeerd genaaid is, die wil ook niemand. Een groot probleem in de modewereld (waar je nooit iets over hoort) is overproductie. Dat betekent dat er véél te veel kleren worden gemaakt. Jaar in jaar uit worden er miljarden kledingstukken genaaid!

En wat gebeurt er met kleding die zelfs in de uitverkoop niet verkoopt? Die wordt vernietigd! Hij gaat dan de verbrandingsoven in. Dat is zonde en ook nog eens slecht voor het milieu!

Sommige kleding krijgt toch nog een tweede leven. Bijvoorbeeld als poetsdoekjes. Of papier. Kleding van katoen is daar geschikt voor. Er zijn ook stoffen die fijngemalen worden. En daarna worden er bijvoorbeeld vloermatjes van geperst.

In de rie-saj-kul

Je kunt van oude kleding ook leuke nieuwe kleding maken! Dat heet hergebruik, oftewel recyclen. Op dat idee kwam ook het Leger des Heils. Het Leger bedacht een eigen kledingmerk: 50/50 (fifty-fifty). Als je het koopt, gaat het geld naar een goed doel. De 50/50-kleding wordt gemaakt van tweedehandsjes. Daar hebben ze immers genoeg van!

En dat gaat zo: ze zoeken eerst leuke, oude kleding. Die wordt verknipt. Van een trui knippen ze een mouw af, of van een broek een pijp. En daarna wordt van die losse onderdelen weer een 'nieuwe' broek of trui gemaakt. Slim, hè?

Het idee achter 50/50 is samen delen. Want het mooie van 50/50 is dat het geld van de verkochte kleding naar zwerfjongeren gaat. Zie ook www.5050world.com

Knippen, naaien en plakken: customizen maar!

Ook jij kunt je eigen nieuwe kleding veranderen. Dat heet *customizen*, Engels voor aanpassen of op maat maken. Je kunt ook zeggen dat je een kledingstuk persoonlijk maakt. Dat heeft dan niemand anders! Je kunt het zo makkelijk of moeilijk maken als je wilt. Je kunt rafels aan je spijkerbroek maken, of een mooie bloem op je jas naaien. Dat deden hippies vroeger in de jaren zestig al. Of wat dacht je ervan om kippenbotjes op een T-shirt te naaien? Ja, je leest het goed: kippenbotjes! Dat deden punkers in Engeland dertig jaar geleden. Customizen is dus niks nieuws!
Begin jaren zeventig maakte de Engelse ontwerpster Vivienne Westwood punky T-shirts. Elk T-shirt was anders. Westwood werkte samen met haar vriendje Malcolm McLaren, en hij zei in een interview: 'Vivienne en ik maakten van een gloednieuw hagelwit T-shirt een smerig vod. We waren er uren mee bezig.'

De voordelen van een 'schoon' T-shirt

Oké, je hoeft je allang niet meer te schamen als je tweedehandsjes draagt. Bovendien is het goed voor het milieu. Zou het niet mooi zijn als iedereen alleen máár tweedehands zou dragen? Zeker. Maar het zou ook een ramp zijn. De hele mode-industrie raakt dan werkloos! Nog beter voor het milieu is het als iedereen 'schone' kleding gaat dragen. En schoon heeft in dit geval niets te maken met honderd keer wassen. Het slaat op de manier waarop de kleding wordt gemaakt. Het maken van kleding levert namelijk altijd vervuiling op. Neem de spijkerbroek. Het meest gedragen kledingstuk in Nederland, en het wordt gemaakt van katoen. Katoen komt van een plantje dat groeit op grote plantages in warme landen als India en Peru en delen van Amerika. Stel dat die katoenplantjes ziek zouden worden, bijvoorbeeld door knagende insecten. Dat mag niet. Daarom spuiten boeren gif over hun plantjes. Kijk, en dat is natuurlijk superslecht voor het milieu (en voor de boeren zelf)! Bijna alle katoenboeren gebruiken landbouwgif. Gelukkig doen steeds meer boeren het anders. Die werken biologisch. Zij gebruiken natuurlijke bestrijdingsmiddelen en mest als groeimiddel.

In de biologische mode van Bono zit muziek

Per jaar wordt er ongeveer 19 miljoen ton (1 ton = 1000 kilo) katoen geproduceerd. Slechts 0,1 procent daarvan is biologisch. Verreweg de meeste katoenen stoffen zijn dus niet ecologisch verantwoord. Vaak worden die stoffen niet op een 'schone' manier geverfd. Vervuilde rivieren zijn daar het gevolg van.

En dan moet van de stof ook nog een broek worden gemaakt! Iedereen weet inmiddels dat ook dit niet altijd gebeurt zoals het hoort. Kinderrechtenorganisaties halen nog steeds kinderen in fabrieken achter naaimachines vandaan.

Het verschil tussen een 'schoon' geproduceerde broek en een 'vieze' is niet te zien. Het verschil tussen een leuke en stomme broek wel. Tot een aantal jaren geleden zag ecologische mode er lang niet zo hip uit als nu.

In Nederland heeft het merk Kuyichi daar hard aan gewerkt. Kuyichi is eigenlijk een soort Max Havelaar. Maar in plaats van koffie en bananen verkopen ze leuke kleding, die 'schoon' is gemaakt: www.kuyichi.com. Soms moet er een popster aan te pas komen om de hele wereld eens goed wakker te schudden. Zoals Bono, de zanger (met zonnebril) van U2. Deze wereldster maakt graag reclame voor het merk Edun, het ecologische modemerk van zijn vrouw: www.joinred.com.

Nou zou je zeggen: dat is mooi. Maar waarom koopt niet iedereen dan die merken? Meestal is 'schone' kleding duurder. Omdat die biologische katoen net wat meer geld kost, want het is meer werk voor de boeren. En kinderen werken voor minder geld in fabrieken dan grote mensen.

Wat is vintage?

Het Engelse woord *vintage* betekent oud. In Nederland vinden we het de laatste jaren een erg mooi woord. Oude kleren noemen we tegenwoordig *vintage*. En dat terwijl mensen vroeger oude kleding vonden stinken! We denken daar nu heel anders over. En dat komt door de actrice Julia Roberts. In 2001 verscheen ze in een

beeldschone jurk om een Oscar (filmprijs) op te halen
in Los Angeles. Het stikte er van de fotografen. Je zou
haast zeggen dat het in LA meer om de kleding draait
(wie draagt wat?) dan om wie welke prijs wint. De
fotocamera's gaan dus de hele tijd van *klik, klik, klik.*
Ook bij Julia. Maar bij welke ontwerper had Julia die
zwarte jurk nou geleend (of gekregen, want supersterren
kopen nooit wat)? Iedereen vroeg zich dat af. Het was
wereldnieuws toen bleek dat dit een tweedehands jurk
was! Maar het was geen modelletje uit een Leger des
Heils-winkel. Julia's lange zwarte jurk was een echte
Valentino! En al heel veel jaren geleden ontworpen door
de Italiaanse couturier Valentino.
En je weet hoe het gaat in de mode. Dus toen er in de
krant stond: 'Julia Roberts draagt vintage Valentino',
werd het opeens hip om vintage te dragen.
Oh ja, die Valentino was er eentje uit 1981, en 'officieel'
dus niet echt vintage! Echte vintage is minstens vijftig
jaar oud. Hé, dat is dus uit oma's tijd! Toch maar eens
een kijkje in haar kast nemen?

Bijna alles over Dries Van Noten (1958)

*De Belgische modeontwerper Dries Van Noten houdt van oud.
Niet dat je dat aan zijn kleding kunt zien. Of... toch een
beetje. Want Van Noten haalt zijn ideeën uit oude stofjes.
Stoffen zijn voor Dries Van Noten misschien wel belangrijker
dan het model van een jasje of een broek. Dat zou je tenminste
wel denken als je de prachtige stoffen ziet waar de kleding
van is gemaakt. Die zijn vaak met de hand geborduurd,
versierd met kraaltjes of pailletten. Zonde toch om daar een
ingewikkeld kledingstuk van te maken?*

*Dries Van Noten maakt niet van die Pipo-achtige kleren als
sommige van zijn collega-modeontwerpers. 'Wie mijn kleding
draagt, mag zich niet verkleed voelen,' zei hij in een interview.
Je kunt zijn kleding ook tijdloos noemen. Dat betekent dat je
erg lang iets van Dries Van Noten kunt dragen. Het raakt niet
snel uit de mode.*

*Van Noten haalt zijn ideeën uit verre landen als India,
Marokko en Turkije. Toch reist hij niet de aardbol rond,
zoals John Galliano. Uit een foto van een exotisch land, een
tafelkleedje of een bloem haalt hij genoeg inspiratie voor een
hele collectie.*

*Natuurlijk geeft Van Noten net als andere beroemde
ontwerpers ook modeshows. En die zijn altijd feestelijk. In
2004 was het zelfs extra feest. Toen vierde Dries zijn vijftigste
show, in Parijs (waar anders?). Hij nodigde vijfhonderd
mensen uit. Net als bij zijn vorige shows was er deze keer ook
van alles te eten. En na het menu veranderde de lange eettafel
in een catwalk.*

*Wat dat allemaal met mode te maken heeft? Tja. Nou,
gewoon: mode is een feestje!*

Altijd top: de regenjas

In Tokyo, Londen, Parijs en zelfs Amsterdam weet iedereen wat Burberry is. Een Engels merk dat zijn handelsmerk - het beige ruitje - overal op zet. Op bikini's, hondenjasjes, petjes, oorwarmers en zelfs op Barbiekleertjes. En laten we de regenjassen niet vergeten! Al bijna honderd jaar zit de bekende ruit als voering in de regenjassen van Burberry. De laatste jaren is dit stokoude merk behoorlijk 'opgehipt'. Vanaf het moment dat het aanstormende talent Christopher Bailey in 2001 bij Burberry ging werken, stegen de omzetcijfers.

En dat kwam zo: Bailey veranderde de stoffige beige regenjas in een kaskraker. En opeens vloog die saaie regenjas over de toonbank.

Als Thomas Burberry - de oprichter van het Engelse merk - nog geleefd had, zou hij raar staan te kijken. Al in 1859 bedacht hij de waterafstotende regenjasstof! Pas jaren later maakte hij er een jas van, die bedoeld was voor soldaten die moesten vechten in de Eerste Wereldoorlog. De jas bleek erg geschikt om ermee door de loopgraven - *trenches* - te kruipen, vandaar dat de andere naam voor zo'n regenjas *trenchcoat* is.

In meer dan honderd jaar is het model amper veranderd. Kenmerken van een echte Burberry-regenjas zijn nog steeds: brede revers (kraagdelen), een dubbele rij knopen, schouderepauletten (waar soldaten hoesjes met sterren en strepen overheen schoven, zodat je kon zien wie de baas was), een ceintuur en een rugsplit. Je weet pas zeker dat je met een echte Burberry te maken hebt als de voering een camelkleurige ruit is.

Dit ruitje heeft heel veel mensen op het criminele pad
gebracht! Hoe? Doordat ze het na gingen maken! Door
het ruitje te gebruiken op petjes, sjaaltjes – en ja, voor
wat eigenlijk niet? En daar wordt stiekem heel veel geld
mee verdiend.

Laten ze er in Engeland niet achter komen! De kans is
echter groot van wel. Over de hele wereld werken mensen
voor Burberry om kopieën in beslag te nemen. Zelfs de
douane pikt neppers er zo uit. Namaakkleding, maar ook
neptassen en -zonnebrillen, van populaire merken zie je
heel veel.

Customize het zelf:
een rokje

Moeilijk? ○ makkie! ● mwoah... ○ ff doorbijten ○ hellup!?

Een eenvoudige manier om een saai rokje op te fleuren.

Dit heb je nodig:
- *een duf rokje, van spijkerstof bijvoorbeeld*
- *meters vrolijke bandjes in allerlei breedtes*
- *spelden*
- *een naaimachine*
- *een schaar*
- *een volwassene in de buurt (naaimachine!)*

Zo doe je het:
- **Leg de bandjes op de plaats die je mooi vindt. Bijvoorbeeld netjes onder elkaar of kriskras over elkaar**
- **Speld de bandjes vast.**
- **Stik de bandjes vast. (De naaimachine naait gewoon over de spelden heen!)**
- **Haal de spelden eruit. Klaar!**

Mode van héél lang geleden: de Jugendstil, van 1890 tot 1920. Mannen in sportkleding en vrouwen in streng zwart

Beroemdheden: koningin Victoria, de actrice Sarah Bernhard
Beroemde couturiers: Paul Poiret, Coco Chanel, Doucet
Vrouwenmode: hooggesloten jurken met enorme pofmouwen
Mannenmode: sportieve colberts **Trend:** oosterse invloeden
Accessoires: leren enkellaarsjes, enorme hoeden met veren,
parasols, bont **Modekleuren:** donkere kleuren **Stoffen:**
fluweel, brokaat, zijde
UIT: het decolleté **IN:** de strompelrok

Sierlijk, maar ook pijnlijk. Dat waren de knellende
lange japonnen die vrouwen droegen tijdens de *Belle
Epoque* (1890-1914). De slanke Parijse mode, die ook in
Nederland werd gevolgd, paste precies bij de Jugendstil-
kunststroming. De inspiratie voor deze stijl haalden
kunstenaars uit de natuurlijke vormen van bloemen en
planten. Met een beetje fantasie herken je in het silhouet
een s. Deze slingerachtige letters, en andere krullen,
werden ook geschilderd op serviezen en vazen. Nog
steeds zie je oude gebouwen met sierlijk gebeeldhouwde
gevels.
Het s-vormige droomfiguur kregen vrouwen alleen voor
elkaar met hulp van een korset. Dit martelwerktuig
duwde de borsten omhoog en maakte de buik plat.
Ontspannen ademhalen was onmogelijk. Maar laat een
'hijgende boezem' nou net mode zijn! Overigens, het is
een verzinsel dat vrouwen voor de ideale taille (een die
je met twee handen kon omvatten) hun onderste ribben
lieten weghalen.
De Franse couturier Paul Poiret werd rond 1910 de held

van alle vrouwen. Hij ontwierp rechte jurken waaronder géén korset hoefde! Hij liet zich voor zijn ontwerpen inspireren door een Russische balletgroep die danste in oosterse, losse kleding. Zijn bekendste jurk had de vorm van een lampenkap. Het ontwerp wordt ook wel de strompeljurk genoemd, omdat de onderkant zo nauw was. Gelukkig was Chanel er ook nog. In haar soepele mode konden vrouwen eindelijk volop bewegen.

Chanel deed veel ideeën op in de mannenmode. Mannen liepen er al langer sportief bij. Tijdens favoriete hobby's als paardrijden, wandelen en jagen droegen ze de knielange knickerbockerbroeken en tweedcolberts met een rugsplit, zodat ze vrij konden bewegen.

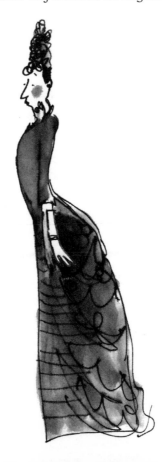

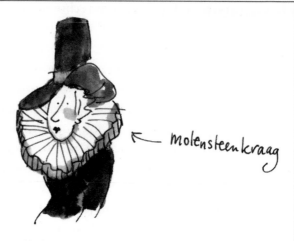

molensteenkraag

Nog meer malligheid

Schapenboutmouwen. Er was een tijd dat mouwen zo groot waren als ballonnen! Het geheim achter deze supermouwen waren kleine hoepeltjes en steunballonnetjes. Vrouwen vlogen met zulke pofmouwen nog net niet in de lucht!

Molensteenkragen. Brrr. Een hoofd op een dienblad! Zo lijkt het wel op oude schilderijen als mannen en vrouwen een molensteenkraag dragen. Deze cirkelvormige, witte kraag komt voort uit een klein geplooid randje stof. Naarmate de tijd voorbij gaat en alles groter wordt, groeit de trend uit tot een mega-molensteenkraag.

Ganzenbuiken. De ganzenbuikentrend ontstond rond 1575 in Spanje. Vijftig jaar lang liepen mannen met een dikke bult onder aan hun buik. Kleermakers vulden de puntige nepbuik met paardenhaar of wol.

Hoofdstuk 10

Eigenwijze mode

'Je hebt een veel beter leven als je uitgesproken kleding draagt.'
Vivienne Westwood

Mode heeft altijd gespreksstof opgeleverd. Op een leuke manier, als je met je vriendinnen voor een etalage staat. Of als je in tijdschriften de foto's ziet van coole nieuwe modetrends. Of als je iemand op straat ziet lopen die stomme kleren draagt. Dat is een voorbeeld van een minder leuke manier waarop over mode gesproken wordt. Soms valt iedereen over een nieuwe look. Dan hebben ze het erover in kranten en op het journaal. Vooral de jeugd krijgt er dan vaak van langs. Ronduit shockerend vonden mensen de doorkijkblouse die de jonge Yves Saint Laurent in 1966 showde.

'Slordig', dat was een paar jaar later het algemene oordeel over hippies in strakke spijkerbroeken en met lang haar. Wat ook niet hoorde, waren de gescheurde kleren van punkers. Raar waren die housende gabbers met hun kale koppen in trainingspakken. En slonzig de alternatieve alto's met hun dreadlocks en neuspiercings. Nu zijn het alweer een tijdje hiphoppers die met hun opzichtige bling bling blijven verbazen. En zo heeft elke jeugdcultuur wel iets waar mensen commentaar op hebben. Ook over 'Lonsdalers' kletst iedereen graag: 'Zouden die jongeren in Lonsdale-kleding nou echt allemaal iets tegen mensen met een gekleurde huid hebben?' hoor je vaak.

In elk geval houdt de ene jeugdcultuur er een meer uitgesproken levensstijl op na dan de andere.

Jeugdculturen: ken jij alle codes?

Goths houden van enge dingen. De fanatieksten zouden het liefst in een doodskist slapen! En er zijn er die extra lange hoektanden laten maken, om zoveel mogelijk op een vampier te lijken. Maar de doorsnee goth is iets minder extreem. Wel gaan deze jongens en meisjes gekleed in lange zwarte jassen en jurken. Een zwarte bos haar omlijst hun bleke gezicht, en past precies bij hun zwarte lippen en zwart omrande ogen. Dat is wereldwijd de *dresscode* van goths.

Muziek verbindt goths. De eersten zwijmelden in de jaren tachtig bij de donkere, dreigende muziek van The Cure. Tegenwoordig komen ze samen op popfestivals waar ze luisteren naar recente gothic-sensaties. Zoals de Nederlandse gothic-groep Within Temptation, waarvan de zangeres graag zwarte trouwjurken draagt.

Misschien schrik je soms toch heel even als er zo'n zwarte vleermuis voor je op straat opdoemt. Wees niet bang, ze doen geen vlieg kwaad.

Dat kun je niet van alle skinheads zeggen. Als je een gekleurde huid hebt, dan kun je beter geen skin voor de voeten lopen. Kijk ook niet te lang naar zijn kaalgeschoren hoofd, waar ze hun naam aan te danken hebben.

De skinheadbeweging bestaat al sinds de jaren zestig. De eerste kaalkopjes, die in Engelse arbeiderswijken woonden, bedoelden het zo kwaad nog niet. Veel van die jongeren waren trots op hun arbeidersafkomst. Ze benadrukten die door vooral Engelse merkkleding te dragen, zoals de stoere Dr. Martens-schoenen en geruite blouses van Ben Sherman. Het korte bomberjack, een jack uit de oorlog, en een strakke Levi's-spijkerbroek met omgeslagen pijpen maakten hun outfit bijna compleet. Onmisbaar zijn de accessoires. En dat luistert allemaal heel nauw. De schoenen moeten zwart of kersrood zijn. Het aantal vetergaatjes mag niet meer zijn dan veertien. En om de een of andere mysterieuze reden moeten de veters rood, wit of zwart zijn.

Van de straat - op de catwalk

Dwars. Zo zou je de bovenstaande jeugdculturen kunnen noemen. Ze doen niet mee met wat er in de mode is, maar laten zich door ideeën verbinden. De aparte kleedstijlen blijven modeontwerpers inspireren.
Jeugdculturen ontstaan op straat, in clubs of bij concerten. Geen trendvoorspeller had hun uitgesproken kleedstijlen ooit kunnen verzinnen. En in tegenstelling tot alle snelle trends waaien ze ook niet over na een seizoen. Hiphoppers, goths of skaters zie je al jaren dagelijks over straat lopen.
Net als skinheads en goths houden ook punkers het alweer tientallen jaren vol! En zo verbazingwekkend is dat niet. Zolang er dingen zijn waar punkers zich druk om maken - politiek, discriminatie, milieuvervuiling of werkloosheid - zullen ze altijd bestaan.
De allereerste punkers lieten halverwege de jaren zeventig van zich horen. Of eigenlijk: van zich zien. Ze zagen er niet bepaald aaibaar uit met hun hoge hanenkammen,

gescheurde kleding, leren jacks vol buttons en veiligheidsspelden in hun oor of wang. Waarom ze zich zo toetakelden? Hun boodschap was 'Leve de anarchie!' En dat houdt in dat iedereen zelf wel kan bedenken hoe alles moet. Aan regeltjes hadden (en hebben) alle punkers een grote hekel. Maar het ergste vonden ze nog wel om eruit te zien als een grijze muis.

Fans van grungemuziek zagen er begin jaren negentig ook niet uit als iedereen. Met hun sliertige haren en geruite overhemden leken ze net zo onfris als hun idool Kurt Cobain van Nirvana. Al droeg de inmiddels overleden zanger zo nu en dan ook graag een oude jurk. Vergeleken bij punkers en grungers, maar ook hardrockfans, zien hiphoppers er in hun dure, véél te grote outfits een stuk frisser uit. Maar verkijk je daar niet op. Hun teksten zijn feller dan die van alle andere popmuzikanten bij elkaar.

gouden moderegels

NOOIT DOEN!

- **Uitgaan als het regent**
- **Praten over geld**
- **Winkelen tijdens de uitverkoop.**
  (Die kleding hebben andere fashionista's laten liggen.)

Ooo, die afschuwelijke middelmaat

Dé trendsetter onder de dandy's was George Bryan Brummell. Zijn bijnaam was Beau, wat mooi betekent.

Rond 1800 gingen steeds meer mannen - zelfs de Engelse koning George IV, zijn kleedstijl imiteren.

De dandy wordt in spotprenten altijd hetzelfde afgebeeld: met zijn hoofd verdwenen in een overdreven hoog gestrikte kraag. Verder draagt hij een superstrakke getailleerde jas, waarin zijn middel zo dun is als een naald. Over zijn nauwe broek draagt hij hoge, glimmende laarzen.

'Niets is erger dan om er net zo uit te zien als iedereen!' Het had een uitspraak van een tegendraadse punker kunnen zijn. Het dandyisme is net als punk een Engelse uitvinding en begon ook als een antiburgerlijke trend.

De hipste dandy's droegen net als Beau Brummell een strakke blauwe jas met gouden knopen en heel lange achterpanden, en een geitenleren pantalon. Maar of ze net als Beau hun laarzen met champagne poetsten? De grootste ijdeltuit aller tijden deed dat wel. Ook was hij zó een uur bezig met het strikken van dé perfecte das. Door zijn fanatieke dassenknoopgedrag kon zijn bediende elke morgen weer een wasmand vol mislukt gestrikte dassen recht strijken. Want als de stof eenmaal gekreukt was, dan kon deze onmogelijk nog in aanmerking komen voor een onberispelijke das.

De levensstijl van een echte dandy was al even opmerkelijk. Werken? Dat was niks. Nietsdoen, kwebbelen en gokken wel. En bezig zijn met hun uiterlijk. En daar hadden de dandy's zeeën van tijd voor.

Help, ik heb geen stijl. Maar wat is stijl eigenlijk?

Dandy's hadden stijl. Stijl was wat ze zochten. Ze wilden mooi en perfect zijn in alles. Hun leven draaide om genieten. En dat kon alleen met kleding van de beste materialen en het drinken van de beste wijn.

Stijl kan eenvoudig zijn. Iemand in een spijkerbroek met een wit T-shirt kan er heel stijlvol uitzien. Maar stijl kan ook overdadig zijn. Je kunt van de zwaar getatoeëerde rockchick Anouk zeggen wat je wilt, maar stijl heeft deze stoere zangeres wel.

Je leest weleens: 'Stijl zit in de genen, je wordt ermee geboren of niet.' Wat een onzin! Weten hoe je moet leven, hoe je je moet kleden en hoe je je moet gedragen, kun je allemaal leren. Stijl kun je ontwikkelen. Door veel te kijken. En door al die dingen te onthouden die je mooi vindt.

Bijna alles over *Vivienne Westwood (1941)*

*Eerder in dit boek kon je lezen dat de Engelse
modeontwerpster Vivienne Westwood ruim dertig jaar geleden
kippenbotjes op T-shirts naaide. Alweer jaren zijn haar
originele kleren (zonder kippenbotjes) te koop in de hipste
warenhuizen. Niet gek voor iemand die had geleerd voor
schooljuf! Vivienne heeft niet lang voor de klas gestaan. In
1971 opende ze samen met haar vriendje Malcolm McLaren
(die van de kippenbotjes) een piepklein winkeltje in Londen.
Terwijl haar vriendje druk bezig was de punkgroep de
Sex Pistols bekend te maken, verkocht Vivienne in haar
winkeltje de gekste kleren. Deze antimode - rubberen jurken,
hemden van visnetjes en broeken met talloze ritsen - was
razend populair bij de fans van de Sex Pistols. In Viviennes
ontwerpen schudden ze de wereld wakker met hun rauwe
punkmuziek.*

*Vivienne Westwood groeide uit van naaister van punkkleding
tot een van 's werelds bekendste modeontwerpsters. Haar
ontwerpen zijn meestal geïnspireerd door mode uit het verre
verleden. Een beetje mal is haar kleding wel. Zoals de op
zeerovers geïnspireerde collectie uit 1981. Of de Mini Crini-
collectie, met kleine hoepelrokjes, uit 1985. Het is dat de
Franse koningin Marie-Antoinette (die van die hoepelrokken)
al 250 jaar dood is, anders had ze zeker de bolle rokjes met
bijpassende korsetten gedragen.*

*Vivienne Westwood is ook bekend om haar opvallende
accessoires. Een giller waren haar torenhoge plateauschoenen,
waar het topmodel Naomi Campbell tijdens een modeshow
mee omviel. En wat te denken van een veiligheidsspeld die
bezet is met diamanten? En een hangertje voor aan een ketting
waar toch echt de vorm van een piemel in te herkennen is?
In Londen kun je Westwoods eerste, piepkleine winkeltje nog*

145

steeds bezoeken. Boven de ingang hangt een enorme klok,
met wijzers die als een gek achteruitdraaien. Zou Vivienne
daarmee bedoelen dat vroeger alles beter was? Toen ze als
punker overal de draak mee stak? Dat kan het niet zijn.
Want dat doet ze nog steeds. Eigenlijk is de Engelse Vivienne
Westwood altijd hetzelfde dwarse, roodharige punkmeisje van
vroeger gebleven.

Altijd top: het t-shirt

T-shirts zitten niet alleen heerlijk, ze zijn ook handig. Net
als met een spandoek kun je via een T-shirt laten zien
dat je tegen bont bent of helemaal hoteldebotel van een
bepaalde popster. Toch zetten de meeste ontwerpers geen
opruiende teksten op T-shirts (op Vivienne Westwood
na). Zij gebruiken het katoentje vooral als visitekaartje,
en zetten liever hun logo erop.
De eerste T-shirts werden 150 jaar geleden als ondergoed
gedragen. De overgang naar sportieve bovenkleding
was te danken aan het Amerikaanse leger, dat tijdens
de Eerste Wereldoorlog in Europa gelegerd was. Terwijl
Europese soldaten hun kakikleurige T-shirts netjes onder
hun bovenkleding droegen, gingen de Amerikanen ze
in hun vrije tijd als bovenkleding dragen. En een nieuw
kledingstuk was geboren!

Spuit het zelf:
een kunstwerkje op je jas of tas

Moeilijk? ○ makkie! ● mwoah... ○ ff doorbijten ○ hellup!?

De punkers deden het al: goedkoop en snel even een kledingstuk of tas origineel maken met een spuitbus of met textielverf. Wat voor afbeelding daar dan op moet? Wat dacht je van de eerste letters van je naam (of die van je vriendje) of je favoriete popgroep?

Dit heb je nodig:
- *een spuitbus of textielverf*
- *bij textielverf een tamponneerkwast (stevig, met korte haartjes)*
- *een vel karton*
- *hobbymesje en schaar*

Zo doe je het:
- Teken het ontwerp op het karton.
- Snijd je ontwerp uit het karton. Je mal is nu klaar.
- Leg het kledingstuk plat en leg er een stuk karton onder, zodat de verf niet doordrukt.
- Leg de mal plat op de stof. (Zorg dat hij niet gaat schuiven!)
- Volg verder de instructies die op de spuitbus staan of op de textielverf.

PS: Je ouders zullen het erg fijn vinden als je dit karweitje buiten doet!

Mode van héél lang geleden: charlestonjurken in 1920, glamoureuze couture in de jaren dertig, sobere mantelpakjes in de jaren vijftig, nieuwe mode in de jaren vijftig en swingende trends in de jaren zestig

De jaren twintig waren een vrolijke tijd. De Eerste Wereldoorlog was voorbij. De economie floreerde. De tango en charleston waren een rage. Vrouwen wilden er jong én jongensachtig uitzien. Ze drukten zelfs hun borsten plat met een speciale beha. Ze knipten hun haren kort. Voor het eerst in de modegeschiedenis lieten ze hun benen zien in sluike jurken die tot de knie reikten. Geen vrouw ging de deur uit zonder een *cloche*, een klein strak hoedje, dat ook wel pothoed werd genoemd.

> **Beroemdheden:** *Hollywood-filmsterren Louise Brooks en Mary Pickford* **Belangrijke couturiers:** *Coco Chanel, Jean Patou, Jeanne Lanvin*
> **UIT:** *borsten* **IN:** *badpakken*

In de jaren dertig werden steeds meer couturiers bekend. Hun specialiteit waren luxueuze avondjurken. Zowel couturiers als vrouwen lieten zich inspireren door sexy Hollywood-filmsterren zoals Marlene Dietrich (met die lange benen); zij maakte het herenkostuum elegant.

> **Beroemdheden:** *filmsterren als Greta Garbo en Joan Crawford* **Belangrijke couturiers:** *Elsa Schiaparelli, Madeleine Vionnet*
> **UIT:** *rechtvallende charlestonjurken* **IN:** *ingesnoerde tailles en korte jasjes (bolero's)*

148

Tijdens de Tweede Wereldoorlog sloten de meeste modehuizen hun deuren.

Vrouwen droegen tijdens de oorlog praktische mantelpakjes. Bij gebrek aan leer droegen ze schoenen met plateauzolen van kurk of hout. Ze leefden zich uit met kleine, grappige hoedjes.

Na de oorlog werden de vrouwen blij van de Franse New Look van Christian Dior, panty's, naaldhakken, lipstick en vrijetijdsmode uit Amerika.

> **Beroemdheden:** *Doris Day, maar ook seksbommen als Marilyn Monroe en Jayne Mansfield* **Belangrijke couturiers:** *Christian Dior, Christobal Balenciaga, Givenchy, Jacques Fath*
> **UIT:** *hoedjes* **IN:** *puntbeha's, plooirokken en petticoats*

Vanaf de jaren zestig verloren jongeren zich in popmuziek. Ze letten op wat hun idolen droegen en wilden dezelfde kleren. De grootste ontdekkingen van de jaren zestig zijn de spijkerbroek en de minirok. De trend was om je kleding te versieren met bloemen en vlinders (*flower power*). Hippiejongens en -meisjes hadden lang haar en droegen langharige Afghaanse bontjassen. Het tegenovergestelde van hippiemode was de futuristische ruimtevaartlook van Pierre Cardin. Deze doet het leuk op foto's, maar op straat waren de zilverkleurige ontwerpen niet te zien. Wel in musea.

> **Popgroepen:** *de Beatles, de Rolling Stones* **Belangrijke ontwerpers:** *Mary Quant, Yves Saint Laurent, Pierre Cardin, André Courrèges*
> **UIT:** *het broekpak* **IN:** *het spijkerpak*

Hoofdstuk 11

Onmisbare accessoires

'Ik kan inmiddels een marathon lopen op Manolo Blahniks. Mijn voeten zijn vernield. Maar ach, waar hebben we die nou voor nodig?'
Sarah Jessica Parker

Zonder accessoires is de mode lang zo leuk niet. Wat zouden we er saai uitzien zonder tassen, schoenen, riemen, zonnebrillen, gewone brillen, sieraden, kousen, hoedjes, sjaaltjes en horloges. En laten we vooral mobiele telefoons niet vergeten!

Accessoires, het Franse woord voor al die handige dingen, betekent toegevoegde, bijkomstige zaken. Accessoires voegen iets toe aan kleding. Ze kunnen een kleedstijl versterken. Maar accessoires zijn ook reuzehandig om heel eenvoudig je uiterlijk te veranderen.

Je voelt je - en dat is meteen te zien - al sportief als je een paar sneakers onder je spijkerbroek aantrekt. Maar draag je onder diezelfde spijkerbroek een stel schoenen met hoge hakken, dan zie je er heel anders uit. Sexy! Dat komt doordat die hoge hakken je benen langer doen lijken.

De tijd van schoenen kopen omdat ze zo lekker lopen ligt al mijlenver achter ons. En wie koopt er tegenwoordig nog tassen omdat ze zo handig zijn?

Betoverende logo's

Accessoires heb je nooit genoeg. En je móét ze blijven kopen! Want al die tasjes en mutsen en zonnebrillen veranderen om de haverklap. We kopen ze niet alleen vanwege hun vorm of kleur, maar ook om hun uitstraling.

'Hoe groter het logo, hoe beter,' vinden mensen die houden van opzichtige beeldmerken. Bij Dolce & Gabbana, Louis Vuitton, Gucci, Christian Dior en Chanel zijn ze dan aan het goede adres.

Maar logo's betoveren ons allemaal. Bij de aankoop van een nieuwe schooltas let ook jij op het merk. De een gruwt van Eastpak, (want dat heeft iedereen!), de ander wil alleen Gsus (is altijd cool!) en weer iemand anders customizet het liefst zijn merkloze tas (origineel!).

Wie kiest wat, en waarom? Meestal kijken kinderen en jongeren naar de tassen die hun vriendjes al hebben. Of juist naar die van dat groepje waar ze wel bij zouden willen horen! Dus eigenlijk zijn al die logo's best handig! Maar kan het niet een beetje minder?

De keizer van de bling was een echte koning

'Diamonds are a girl's best friend,' zong seksbom Marilyn Monroe in de jaren vijftig. Maar diamanten zijn niet alleen de trouwste vriendjes van meisjes. Ook hiphoppers zijn gek op glimmende bling.

Bling, of bling bling, dankt zijn naam aan de schitterende twinkeling van edelstenen. Maar ook blinkende gouden kettingen, protserige ringen, glanzende oorbellen en met kristallen versierde mobieltjes vallen in de categorie bling.

Het schijnt dat de rapper P. Diddy soms wel voor duizenden dollars bling om zijn nek heeft hangen.

Maar de keizer van de bling was een échte koning. De Franse koning Lodewijk XIV gaf 65 miljoen euro uit aan diamanten! In 1660 haalde een Parijse juwelier enkele diamanten uit India. En vanaf dat moment was de Zonnekoning verloren. En hij niet alleen. Parijs werd het centrum van kostbare sieraden. De mensen aan het hof in Versailles, waar de koning woonde in zijn paleis, moesten er net zo mooi uitzien als hij. Dus binnen de kortste keren schitterde heel Versailles. In het paleis was een zaal met muren van spiegels: de Spiegelzaal. Kon je al die prachtige mensen en sieraden ontelbare keren zien! De vraag naar diamanten steeg enorm. En dat was zielig voor de parel. Die was tot die tijd het hoogtepunt van rijkdom en schoonheid geweest.

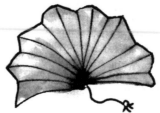

Vergeet sms'en, leer waaiertaal!

Natuurlijk raken er wel vaker dingen uit de mode. Hoewel parels nooit definitief zijn verdwenen, gebeurde dit wel met de waaier. En dan te bedenken dat waaiers honderden jaren onmisbaar waren! Van 1575 tot 1900 (meer dan driehonderd jaar!) wapperde elke vrouw met een waaier. Nou, ik mis niks, denk je misschien (behalve als je het warm hebt). Maar met een waaier deden vrouwen meer dan zichzelf koelte toewuiven!

De waaiermode begint rond 1575. De eerste waaiers bereiken Europa vanuit China en Japan. En natuurlijk hadden de allerrijkste dames ze het eerst. De waaier was een statussymbool. Maar al snel gebeurde er met de waaier hetzelfde als tegenwoordig met die peperdure Louis Vuitton-tassen: iedereen wilde er een! Er kwamen waaiers in verschillende prijsklassen en van diverse materialen, zoals papier, leer en veren.

Vanaf 1700 was iedereen aan de multifunctionele waaier. Ze beschermden tegen zonnestralen en verstopten een slecht gebit (dat hadden veel mensen). Centrale verwarming bestond nog niet, dus werd de waaier ook gebruikt als een soort vuurscherm tegen onverwachte vonkjes uit de haard.

Maar het leukste wat je met de waaier kon doen, was het 'overseinen' van berichten. Het was eigenlijk een voorloper van het sms'en. Nou was het bereik natuurlijk niet zo groot als dat van onze mobieltjes.

De ingewikkelde waaiertaal kon je leren door tekeningetjes te bestuderen uit een tijdschrift. Voor rijke meisjes bestond er zelfs een school in Engeland! Daar leerden ze hoe ze mannen via waaiertaal duidelijk konden maken dat ze al verkering hadden, of dat ze juist wel zin hadden in een man.

Waaiers werden steeds mooier en gevarieerder. De waaier om tijdens een kerkbezoek achter te bidden, was anders dan een waaier voor in het theater. Daar zat een kijkglaasje in. Ook werden waaiers versierd met geschilderde landschapjes of bijbelse voorstellingen en belangrijke gebeurtenissen.

Nadat rond 1900 waaiers bedrukt waren met advertenties, raakten hij uit de mode. Bovendien kregen de dames hun handen steeds voller met nieuwe accessoires als avondtasjes en parasols.

Wandelende voetenbankjes, stiletto's en sexy Manolo's

In de Middeleeuwen trippelden de mensen heel wat af. Dat deden ze op *trippen*. Dit waren hoge houten overschoenen van soms wel twintig centimeter hoog. Hiermee baanden ze zich een weg door de viezigheid die toen overal buiten lag. Het moet een gek gezicht zijn geweest. Maar mooie schoenen bleven schoon!
Hoe mensen zich rond 1500 op de nóg hogere *chopines* voortbewogen is een raadsel. Deze rare plateauschoenenmode werd gedragen in het natte en blubberige Venetië. Ze waren soms wel 75 centimeter hoog! De bijnamen – steltschoenen en wandelende voetenbankjes – waren dus goed gekozen!
Vanuit Italië verspreidde de torenhoge schoen zich naar Engeland en Frankrijk. Tot iemand begin 1700 ging knutselen aan de hoge plateaus. De voorkant werd lager, en opeens was daar de hak. Inmiddels zijn we heel wat hakvariaties verder. De hoogste hakken zitten onder stiletto's. Deze duizelingwekkend hoge schoenen hebben hakken als spijkers, zó dun en zó lang zijn ze. In de jaren vijftig kwam deze sexy schoen voor het eerst in de mode. Twintig jaar later droegen alle vrouwen pumps. Deze neutrale schoen, met een laag hakje, staat overal bij. Dat vindt koningin Beatrix ook. Ze draagt ze nog steeds. Fashionista's (ook Máxima) verafschuwen deze saaie schoen. Zij breken hun nek liever op de spitse muiltjes van Manolo Blahnik.
Blahnik drijft sommige vrouwen tot waanzin met zijn

peperdure ontwerpen. Eén paar kost een gemiddeld maandloon! Al zo'n veertig jaar lang ontwerpt de van oorsprong Spaanse ontwerper fijne, vaak met edelstenen versierde schoentjes. Sinds de actrice Sarah Jessica Parker in *Sex and the City* een aan Manolo's schoentjes verslaafde journaliste speelde, is hij de held van talloze vrouwen.

Van pillendoos tot petje

Eeuwenlang bedekten mensen hun hoofd. Soms deden ze dat omdat een bepaald hoofddeksel meer aanzien gaf. Maar de voornaamste reden was om het hoofd warm te houden. Vroeger liep men zelfs binnenshuis gemutst! Toen in de jaren vijftig de hoedenmode concurrentie kreeg van de kapper, gingen de hoofddeksels de kast in. Trouwens, op een 'suikerspin' paste geen enkel hoedje! Zo heette het hoge opgekamde kapsel dat vrouwen in de jaren vijftig droegen in navolging van de oosterse prinses Farah Diba.
Heel eventjes maakte het hoedje een comeback. Begin jaren zestig inspireerde Jacqueline Kennedy, de vrouw

van de Amerikaanse president, sommige vrouwen tot het dragen van een *pillbox*. Dit kleine hoedje, in de vorm van een rond pillendoosje, maakte de meeste kapsels niet in de war.

Tegenwoordig zetten sommige mensen voor een bijzondere gebeurtenis, zoals een bruiloft, nog weleens een grappig hoedje op. Vrouwelijke politici doen hun best op Prinsjesdag, de derde dinsdag van september.

In navolging van rappers als Eminem dragen jongens tegenwoordig vaak baseballcaps op hun kale knarren. Al schijnt Ali B. onder zijn eeuwige pet een gigabos krullen te verbergen.

Blaffende tassenvulling

Is het een uitvergrote muis, een mislukte poes? Nee, die keffen niet. Het is een chihuahua! Sinds beroemdheden als Britney Spears en Paris Hilton zijn gesignaleerd met zulke kabouterhondjes, bestaan er wachtlijsten voor.

Een miniatuurhondje als accessoire is niets nieuws. Al in 1911 toonde de Amerikaanse *Vogue* de laatste hondjesmode. Ook bestonden er hondenshowtjes. De hipste hondjes werden in het chique Plaza Hotel in New York gepresenteerd. Helemaal hot was het bruine pekineesje. Maar ook beige yorkshireterriërs en mopshondjes waren gewild. Al waren die eigenlijk te groot. De hondjesmode schreef voor: hoe lichter en kleiner, hoe hipper.

Deze ongeschreven wet paste Paris Hilton ook toe. De rijke erfgename van de Hilton-hotels ruilde op een dag haar kleine Tinkerbell in voor de nog kleinere Bambi. Of werd Tinkie misschien te zwaar voor in de tas?

Voor iedereen een tas

Je hebt stoere, sportieve, lieve, tuttige, exotische, sexy, grappige en zakelijke. Bij elke vrouw past een tas, zelfs een tas die is vernoemd naar een stokbrood! Begin jaren negentig bedacht het Italiaanse merk Fendi de *Baguette.* Dat is Frans voor stokbrood. Deze rechthoekige tas met zijn korte hengsel dankt zijn naam aan de manier waarop Fransen een stokbrood dragen: onder de arm geklemd. Meer dan 650.000 Baguettes (van gemiddeld 400 euro per stuk!) vlogen als warme broodjes over de toonbank! Met zo'n dure tas moet wel iets bijzonders aan de hand zijn...

Mannen waren de eerste tassendragers. In de

Middeleeuwen droegen ze leren buidels, soms met geheime zakjes erin, waar ze hun kostbaarheden in bewaarden. Buidels zag je veel, net als leren tassen met beugels.

De vrouwen, die iets later aan de tas gingen, bedachten iets slims. Ze hingen hun buideltassen (waar een haakje aan zat) aan hun riem. In de zeventiende eeuw droegen vrouwen gewoon twee platte zakken onder hun wijde rokken. Erg veilig tegen grijpgrage dievenvingers! Toen de jurkenmode strakker werd, verhuisden de zogenoemde dijzakken (platte steekzakken die gedragen werden op dijhoogte) naar buiten. Vanaf 1800 kwamen handtasjes in de mode. Ze waren altijd van stof en prachtig geborduurd. Daarna gebeurde er een hele tijd niets spectaculairs op tassengebied (wat niet wil zeggen dat er geen mooie tasjes werden gemaakt!).

Tasjesoorlog!

Tot ongeveer 1970 waren tassen vooral functioneel. Pas als een oude tas, na járen trouwe dienst, was versleten, kochten vrouwen een nieuwe. De keus was simpel. Je kon kiezen tussen de kleuren lichtbruin en donkerbruin. In de jaren tachtig kon je kiezen uit zwart, zwart en zwart. Leuke tassen moest je met een lantaarntje zoeken. In Nederland dan. In Frankrijk en Italië, waar de meeste tassen werden gemaakt, bestond meer variatie. De tassenmode barst begin jaren negentig los. De simpele nylon tassen van het Italiaanse Prada trekken als eerste de aandacht van de modepers. Zowel kleding- als tassenmerken gaan extra hun best doen als ze zien hoeveel Prada verdient aan tassen.

Fendi slaat zijn slag met de Baguette, die je fijn onder je arm kunt dragen. Het geheim van dit tassensucces schuilt in de diversiteit. Want de Baguette wordt verkocht in honderden variaties. In talloze leersoorten, met glimmende pailletten, in ontelbare kleuren, met spiegeltjes, van raffia, met verschillende bontsoorten, geborduurd in allerlei patronen, van simpele jeans maar ook bezet met diamanten! Eindelijk kan elke vrouw een trendy én exclusieve tas kopen. En dat doen er dus meer dan een half miljoen! Vanaf nu is het tassenoorlog. Prada slaat hard terug met de *bowling bag*, een grote handtas geïnspireerd op het model waar een bowlingbal in wordt vervoerd. Tijdens een oorlog mag alles. Dus vinden alle belangrijke modejournalisten voordat de Prada-show begint een gratis bowlingtas in hun hotelkamer. Het gevecht om de grootste bestsellers gaat nog altijd door!

Legendarische tassen

De 2.55-tas. Deze Chanel-tas verliet in februari 1955 (2.55 dus) in vier kleuren en drie maten het naaiatelier. *Kenmerken:* doorgestikt in ruitjespatroon. *Bijzonderheid:* de schouderband is een goudkleurige ketting waar een leren strookje doorheen is gevlochten. In 2005 liet de ontwerper van Chanel, Karl Lagerfeld, de 2.55 in oorspronkelijke vorm namaken. Met een écht gouden schouderriem van Cartier en zonder het Chanel-logo, want dat siert de beroemde tas pas sinds de jaren zestig.

De Kelly-tas. De leren, trapezevormige tas van Hermès bestaat al sinds 1892, maar is wereldberoemd sinds 1956.

Toen publiceerde een Amerikaans tijdschrift een foto van prinses Grace Kelly van Monaco, die achter een heel grote Hermès- tas haar eerste zwangerschap verborgen hield. *Kenmerken:* een uit de kluiten gewassen handtas, die aan de voorkant sluit met een draaisluiting en riempjes. *Bijzonderheid:* tas met de langste wachtlijst.

Judith Leiber-tassen. Tassen in de vorm van dieren, bloemen en zelfs groente. *Kenmerken:* Leiber-tassen lijken op sieradendoosjes. Bijzonderheid: versierd met tienduizenden kristallen steentjes die één voor één op de tas zijn geplakt.

De Lady Dior-tas: Dit kleine handtasje was de must-have van 1996. Dat werd het nadat de Engelse prinses Lady Diana er een cadeau had gekregen van de vrouw van de Franse president, madame Chirac. *Kenmerken:* doorgestikte rondjes en vierkantjes. *Bijzonderheid:* de vier letters van 'Dior' die aan het handvat bungelen.

De DIRK-tas. Wereldberoemd in Amsterdam. *Kenmerken:* grote, sterke, knalrode tas waar in witte koeienletters DIRK op staat. *Bijzonderheid:* Alleen te koop bij de supermarktketen Dirk van den Broek.

De croissanttas. Dit is de op één na beroemdste tassenflop. In 1998 probeerde Fendi het succes van de Baguette te evenaren met de *croissant*. Maar dit piepkleine tasje in de vorm van een halvemaan 'lustten' de fashionista's niet. Dáág croissant!

De 2005-tas. De grootste tassenflop aller tijden was van Chanel. 'Wat Coco kon, kan ik ook,' dacht Karl Lagerfeld in 2000. Hij vergiste zich. Niemand wilde de 2005. *Kenmerken:* keiharde, gladde tas die eruitziet als een kussen met een gat erin als handvat. *Bijzonderheid:* van binnen veel handige mooie vakjes, van buiten foeilelijk!

Zijn borsten de nieuwe tassen?

Sinds de uitvinding van de 'Wonderbra' tellen borsten nog meer mee in de mode. Met hulp van deze wonderlijke beha - die eind jaren negentig furore maakte - kon een vrouw haar borsten eenvoudig een maatje 'vergroten'. Maar tegen een forse borstpartij à la Pamela Anderson (actrice uit de tv-serie *Baywatch*) kon de vernuftige beha niet op.
Inmiddels zijn borsten als meloenen allang weer uit de mode. Maar schoonheidsidealen zijn veranderlijk. In de jaren twintig was het mode om zo plat als een dubbeltje te zijn.
Zou het ooit zover komen dat vrouwen net zo makkelijk van borsten wisselen als van tas? Dat is niet ondenkbaar. Laten knutselen aan je lichaam is al de normaalste zaak van de wereld. Cosmetisch chirurgen en plastisch chirurgen hebben het drukker dan ooit.

Waarom zijn merktassen zo stinkend duur (én merkschoenen en merkzonnebrillen én merksieraden)?

Omdat mensen er veel geld voor willen betalen! Maar vooral omdat je bij aankoop iets extra krijgt. En dat is een verhaaltje. Als je bijvoorbeeld met een handgemaakte Louis Vuitton-tas over straat loopt, kan iedereen zien dat je een goede smaak hebt. En dat je bovendien nog rijk bent ook. Daarom zijn merktassen zo herkenbaar. Er staan altijd logo's op, en soms is de versiering op de tas de naam van het merk in grote letters.

De hoge tassenprijzen zijn ook te danken aan de dure reclamecampagnes waar beroemde fotografen en topmodellen of andere beroemdheden voor worden ingehuurd. Die moeten ook betaald worden. Net als de winkelhuur en de personeelskosten.

Tot voor kort was het goede nieuws dat tassen nog altijd goedkoper waren dan kleding van bekende ontwerpers. Maar dit is helaas niet altijd meer het geval.

gouden modetip

Wist je dat een dure aankoop eigenlijk goedkoop is?

Is een tas van € 250 duur? Of een paar sneakers van € 100?

Een t-shirt van € 50?

Pas bij twijfel het kpd-systeem toe! Met deze kosten-per-draagbeurt methode wordt alles spotgoedkoop!

Stel, je zeurt je ouders de oren van hun kop om die tas van € 250. Je draagt 'm gedurende een jaar elke dag. Dat is € 0,68 per draagbeurt. Koopje, toch?

Bijna alles over Louis Vuitton

Wist je dat meneer Louis Vuitton echt heeft bestaan? Hij
werd geboren in 1821 en opende 33 jaar later zijn eerste
winkel in Parijs. Koffers en reistassen werden toen op maat
gemaakt. Zijn bagagewinkel liep goed. Dat kwam door de
komst van nieuwe vervoermiddelen als de stoomtrein, het
oceaanschip en de automobiel. Steeds meer mensen gingen
steeds vaker op reis.

En voor het reizen in al die moderne vervoermiddelen was
reisbagage nodig. Meneer Louis Vuitton had al snel een paar
heel bijzondere klanten, zoals de Franse keizerin Eugénie, die
een uitgebreide reisset bestelde. Voor een Indiase maharadja
maakte Vuitton een luxe theekist, zelfs met een handig
koffertje voor de thermosfles. Want dat kon Vuitton als geen
ander: speciale koffers maken voor uiteenlopende voorwerpen,
van precies passende koffers voor muziekinstrumenten tot een
megakoffer waar een uitklapbaar reisbed in paste.

Maar Vuitton zette ook trends. Een nieuwigheidje was de
weekendtas van soepel canvas in plaats van keihard leer. Ze
worden nog steeds gemaakt. Ook worden stokoude motieven
als een bruin-beige geblokt motiefje en het wereldberoemde
LV-monogram nog steeds gebruikt. Overigens werd dit bekende
patroon bedacht door een zoon van Louis, die de zaak van
zijn vader overnam.

Als je het over Louis Vuitton hebt, dan kun je niet om Marc
Jacobs heen. Sinds deze Amerikaanse ontwerper in 1998 voor
het oude Franse merk werkt, telt het weer helemaal mee.
Marc Jacobs kreeg het voor elkaar dat er altijd wel ergens voor
een van de vierhonderd(!) LV-winkels een lange rij mensen
staat. Hoe hem dat is gelukt? Natuurlijk door onweerstaanbare
tassen te ontwerpen. Maar dat doet hij niet in zijn eentje.
Regelmatig vraagt hij beroemde kunstenaars om een frisse

draai aan het oude LV-logo te geven. De Japanner Takahashi
Murikami bedacht de 'Eye Love You'-tas. Een witte tas met
knippende oogjes erop gedrukt.
Opdat echt helemaal niemand Louis Vuitton over het hoofd
ziet, werken er ook beroemdheden voor het luxe merk. Zo
poseerde Jennifer Lopez al eens in een advertentie. Popzanger
Pharrell Williams ontwierp een te gekke zonnebril. Want
Vuitton verkoopt naast tassen ook kleding, sieraden, horloges,
schoenen en zelfs hondenmandjes!
Vooral Japanners zijn gek op het LV-logo; zij geven het meeste
geld uit aan de luxeproducten.
Jaarlijks worden er duizenden nep-Vuittons in beslag genomen
en nog veel meer verkocht. Louis Vuitton geeft miljoenen
euro's per jaar uit aan het opsporen van namaak. Bij Vuitton
werken zelfs rechercheurs die neppers en kopieerders opsporen!

Altijd top: sneakers

Ben jij ook een sneakerfreak? Dan heb je het druk, druk,
druk. Want sneakertrends zijn de laatste jaren amper bij
te benen. Dat was wel anders in de tijd dat sneakers nog
gympies heetten. En alleen gedragen werden tijdens de
gymnastiekles of buitensporten.
Gymschoenen bestaan al sinds 1800. Honderd jaar later,
toen in Amerika het vulkaniseren werd uitgevonden - een
proces waarbij rubber aan stof wordt gesmolten - rolden
ze in hoge aantallen van de lopende band.
Gympen waren goedkoop, onverslijtbaar en ze
maakten geen lawaai. Omdat kraakloze schoenen een
bijzonderheid waren, prees een gympenfabrikant ze aan

als *sneakers*, insluipers. Doordat in de jaren vijftig James
Dean - de Brad Pitt van toen - in zijn films sneakers
droeg, werden ze een trend.

En natuurlijk hadden sporters toen ook al het gemak
van de soepele schoen ontdekt. Er kwamen steeds meer
sneakermerken. Het Amerikaanse Nike werd nog
bekender door de Nike Air Max, een schoen met verende
luchtkussens in de zool.

Minstens zo belangrijk als de techniek is het merk. De
grootste merken herken je meteen. Een Puma aan de
lenige poema, Nike aan die lange komma - de *swoosh* -
ooit ontworpen door een student voor 35 euro. De Duitse
Adidas-schoenen hebben altijd drie snelle strepen. Dit
merk, dat al bestaat sinds 1920, ging weer helemaal
meetellen toen in de jaren tachtig de hiphoppers van Run
DMC oude Adidassen gingen dragen. Retromodellen -
oude modellen schoenen die opnieuw worden gemaakt -
zijn nog steeds te koop.

Inmiddels telt de sneaker helemaal mee in de mode. En
dat maakt het kiezen uit al die talloze variaties er niet
eenvoudiger op!

Leer het zelf: waaiertaal

Bespaar op je telefoonkosten, leer waaiertaal!

Oefenen doe je natuurlijk met anderen.

Moeilijk? ○ makkie! ● mwoah... ○ ff doorbijten ○ hellup!?

Dit heb je nodig:

- een waaier!

- een vriendinnetje of een spiegel

Met de waaier een tikje op de palm van de hand geven:

'Ik wil met je praten.'

De waaier gesloten dragen aan de linkerpols:

'Ik heb al verkering.'

De waaier gesloten dragen aan de rechterpols:

'Ik wil een man!'

Heel langzaam waaieren:

'Ik vind jou niet interessant.'

Snel waaieren:

'Ik hou heel veel van je.'

Snel en heftig de waaier sluiten:

'Ik ben jaloers.'

De waaier laten vallen:

'Ik vertrouw jou niet.'

De versiering van de waaier aandachtig bestuderen:

'Ik vind je leuk.'

Met de waaier haar van je voorhoofd schuiven:

'Vergeet me niet.'

Waaieren met de linkerhand:

'Flirt niet zo met die ander!'

Mode van niet zo héél lang geleden: omajurken in de jaren zeventig, de zwarte jaren tachtig. De jaren negentig staan in het teken van Minimalisme en Barok

Vanaf de jaren zeventig buitelden de modetrends over elkaar heen. Dat kwam doordat er steeds meer modeontwerpers bij kwamen. En al die modeontwerpers ontwikkelden een eigen stijl. Hun hippe kleding werd steeds sneller gekopieerd. En daardoor betaalbaar. Ook zie je steeds vaker verschillende trends tegelijkertijd. Het folklorethema (geïnspireerd op landen als India en Rusland) met lange rokken is erg populair. Maar ook tweedehands omajurken en bloesjes met romantische kanten kraagjes en bloemetjes. Zelf kleding breien - korte hotpants, vestjes en truien - doen vrouwen ook graag.

Vanuit Londen verovert de glamrock-trend de wereld. Hét stijlicoon is David Bowie. De roodharige rocker draagt torenhoge plateauzolen, superstrakke satijnen broeken en ladingen glittermake-up.

De Britse Zandra Rhodes en Ossie Clark en de Nederlands/Chinese ontwerpster Fong Leng maken theatrale ontwerpen in die stijl. Het zijn net lopende kunstwerken.

Belangrijke ontwerpers: Kenzo, Sonia Rykiel, Zandra Rhodes, Fong Leng **UIT:** *stijve, sobere kleding van enge kunststoffen* **IN:** *mini-, midi- en maxi-mode*

In de jaren tachtig halen ontwerpers hun inspiratie echt overal vandaan. Van de sportschool tot films als *Saturday Night Fever* (disco!) en *Out of Africa* (kakikleuren). Japanse ontwerpers introduceren de 'armoe-look'. Zwarte truien met gaten worden een hit. De deprimode sluit precies aan bij de punk. Daarnaast is er ook een heel andere stijl:

167

die van carrièrevrouwen in nette, breedgeschouderde pakken. Madonna is niet zo netjes. Zij verovert de wereld gekleed in doorzichtig kant. Haar mode is net zo sexy als de strakke lycrajurkenmode.

Amerikaanse ontwerpers breken door in Europa. Iedereen wil opeens een jeans en ondergoed van Calvin Klein.

*Beroemdheid: Madonna **Belangrijke ontwerpers:** Yohji Yamamoto, Rei Kawakubo van Commes des Garçons, Claude Montana, Thierry Mugler, Azzedine Alaïa, Jean Paul Gaultier, Calvin Klein, Vivienne Westwood **UIT:** doe-het-zelfmode **IN:** ondergoed als bovengoed, heel brede schouders*

Begin jaren negentig ontdekken mannen én vrouwen de soepele colberts van Giorgio Armani. En er zijn twee tegenovergestelde trends: het Minimalisme van Prada en de barok van Versace. Sommige mannen en vrouwen dragen de wild gedessineerde overhemden van Versace. Hippere mensen zweren bij de simpel ogende ontwerpen van Prada.

Halverwege de jaren negentig maakt Tom Ford het oude merk Gucci sexy. Jeans worden weer net zo populair als in de jaren zestig en zeventig.

De invloed van modeontwerpers op de straatmode neemt af. Jongeren verzinnen hun eigen trends. Die komen vaak voort uit skatemuziek, hiphop en r&b. Piercings en tatoeages zijn niet langer eng, maar reuzehip.

*Beroemdheden: supermodellen en popsterren als Britney Spears, Jennifer Lopez **Belangrijke ontwerpers:** Gianni Versace, Giorgio Armani, Donna Karan, Prada, Helmut Lang, Dolce & Gabbana, Marni, Gucci **Jeansmerken:** Diesel, Replay, Indian Rose, Gsus*

*__UIT:__ laag-over-laagmode **IN:** superstrakke, sexy kleding*

Malle schoenen- en hoedjesmode

Snavelschoenen. In de Middeleeuwen werden de
punten van mannenschoenen steeds langer. Soms
waren ze wel een halve meter! Om ze in vorm te
houden, werden ze opgevuld met hooi of wol. Ook
was het even een trend om de punten te versieren
met belletjes. Tingeling!

Plateauzolen. Venetiaanse *chopines* waren soms wel
70 centimeter hoog. Ze vormden de verre
voorlopers van plateauzolen. Om de zoveel jaar
maken deze onhandige schoenen hun comeback als
er weer een paar beroemdheden mee gespot zijn. In
de jaren negentig waren dat de Spice Girls.
Het wordt dus weer de hoogste tijd!

Vogelnestjes. Alles voor de mode! Rond 1900
kwamen talloze vogels - uilen, fazanten,
papegaaitjes, zwaluwen en struisvogels - terecht
op... hoedjes! Alle vrouwen droegen ze. Soms waren
de hoedjes alleen versierd met wat vogelveren, maar
op andere zaten complete vogels!

Luifelhoeden. Met zo'n hoed kon je alleen maar
vooruit kijken. De om het hoofd 'gevouwen'
strohoed was een grote trend rond 1800. Gelukkig
bestond er toen nog niet zulk rondrazend
autoverkeer!

Hoofdstuk 12

Feest!

*'Mijn favoriete feestjurk is een korsetjurk van Dolce &
Gabbana. Ik voel me er zo vreselijk sexy in.'*
Naomi Campbell, supermodel

'Mijn favoriete feestkleding is waar ik slank in lijk.'
Mario Testino, supermodellenfotograaf

*'Mijn favoriete feestoutfit is een overhemd met tijgermotief
van Roberto Cavalli en een jeans bezaaid met sprankelende
Swarovski-kristallen.'*
**Julien Macdonald, modeontwerper
voor supersterren als Paris Hilton**

Eindelijk! De afgelopen jaren is het glitter- en
glamourgehalte flink gestegen in Nederland. Oké, we
hebben de kunst van het opdoffen wel afgekeken van
Amerika. Heel wat meiden raakten geïnspireerd door
stijlicoon Sarah Jessica Parker die in de televisieserie *Sex
and the City* een aan Manolo's (de schoentjes van Manolo
Blahnik) verslaafde journaliste speelde.
Tot zo'n twintig jaar geleden was feestkleding supersaai.
Een strapless jurk - een jurk zonder bandjes - was zo'n
beetje het toppunt van feestmode. Tegenwoordig is er veel
meer moois te koop.
Ook hoef je niet meer steenrijk te zijn om er net zo
glamoureus uit te zien als Nicole Kidman, Angelina Jolie
of Gwyneth Paltrow. Dat is onder andere te danken aan

het Italiaanse modemerk Prada, dat als eerste pailletten op tassen naaide en glimsteentjes op dagelijkse kleding. In deze ontwerpen voelen we ons elke dag als een filmster. Gelukkig duurt het nooit lang voordat Prada-kleren gekopieerd worden. Vanaf zo'n moment is het altijd feest. Helemaal voor de portemonnee.

Bikini met mukluks

We kunnen alles aantrekken wat we willen. En wannééér we dat willen. Dat is erg fijn natuurlijk. Maar niet iedereen kan die vrijheid aan! Er zijn mensen die in een joggingbroek naar het theater gaan. Of op een bruiloft verschijnen in spijkerbroek. ('Die zit zo lekker.') En niemand kijkt raar op als je in bikini en *mukluks* (bontlaarzen) op een strandfeest verschijnt.
Ruim zestig jaar geleden zouden mensen bij het zien van sommige kledingcombinaties helemaal in de stress zijn geschoten.
Toen haalden mensen kledingadviezen uit boekjes.
Heel bekend was het boekje *Hoe hoort het eigenlijk?*. Dit etiquetteboekje uit 1939 stond vol met 'verkeersregels' over hoe mensen zich moesten gedragen en kleden voor bepaalde gelegenheden. Dat klinkt je nu misschien vreemd in de oren. Maar van vrouwen werd destijds verwacht dat ze zich wel vijf keer per dag omkleedden. Vanaf de jaren zestig kregen de meeste mensen genoeg van al die 'kleedmomenten'.
In adellijke en andere hoge kringen slaan ze nog wel regelmatig de boekjes erop na. Daarom is één ding zeker: we zullen prinses Máxima nooit op een trouwfeest betrappen in zo'n makkelijke spijkerbroek.

Fragmenten over uitgaanskleding uit het boek
Hoe hoort het eigenlijk?, *1939, Amy Groskamp-ten Have*

- *Voor de middaguren is de lange bontmantel, het geklede complet, het vossenbont, het zijden of georgette mantelpak, de geklede korte of halflange japon, de lichte suède en bewerkte glacé handschoenen, de zijden en de fluwelen handtas en de tas van suède met vergulde sluiting.*
- *Voor het bezoekuur: de fijn lederen opengewerkte schoentjes met hoge hakjes, de fijn hangende voile, met bloemen, veren of wat de mode voorschrijft.*
- *De geklede namiddagjapon kan ook voor eenvoudige eetpartijtjes in de stad voor avond, theebezoek, voor bioscoop, lezing e.d. worden gedragen.*
- *Voor het cocktailuur (van 5-7 uur) kan men de geklede middagjapon dragen of een lange zwartsatijnen rok met geklede blouse van lamé of brokaat, hetgeen tevens dienst kan doen voor theater of uit eten gaan.*
- *Baljaponnen bezitten geen mouwen en zijn hetzij van achteren, hetzij van voren laag uitgesneden.*
- *Dinerjaponnen hebben mouwen en zijn meestal tamelijk hoog aan de hals.*

Dit boekje is herzien en aangepast aan de 21e eeuw door Reinildis van Ditzhuijzen.

Koninklijke verkleedpartijtjes

De meest feestelijke mode is hofmode. Dat was vroeger
zo, en nu nog. Met elke dag een gala-avondje hier en
een openingetje daar, moeten koninginnen en prinsen er
altijd op hun paasbest uitzien.
Ooit was er een koning die zich uitdoste alsof het
elke dag 24 uur feest was! Dat was Lodewijk xiv van
Frankrijk, die ook wel de Zonnekoning genoemd wordt.
Nou was het daar in Versailles (het sprookjespaleis
waar de Zonnekoning woonde met zijn hofhouding en
personeel·) echt niet altijd feest. Maar Lodewijk, die
regeerde van 1643 tot 1715, had al snel door dat je in
kostbare en indrukwekkende kostuums méér indruk
maakte op het volk dan in een hobbezak.
Nergens ter wereld werden zo veel pronkkostuums en
galajurken gedragen als aan het Franse hof. Het leuke
was dat burgers ook konden genieten van alle hoofse
pracht en praal. Dat kwam doordat iedereen zomaar het
paleis binnen mocht wandelen.
Er was genoeg te zien. Want het aankleden van de
koning duurde wel een paar uurtjes! Hij werd hierbij
geassisteerd door een hele stoet bediendes. Onder het
aankleden besteedde de Zonnekoning zijn tijd nuttig.
Terwijl de ene bediende hem een pruik opzette, een ander
hulpje zijn gezicht poederde en wéér een ander knechtje

* Voor de garderobe van de koning waren in dienst: 26 kleermakers,
8 handschoenenmakers, 14 schoenmakers en 1 schoenmaker voor de hoge hakken,
8 borduurders, 4 sjerpmakers, 2 zijden- en wollensokkenmakers, 1 cravatier (die de
dassen beheerde en om de nek van de koning strikte), 1 koninklijke kapper en
1 pruikenmaker. De koningin had natuurlijk haar eigen personeel.

zijn slippers aantrok, vergaderde Lodewijk met zijn ministers.

Zijn opvolgers, onder wie koningin Marie-Antoinette, waren al net zo druk met hun uiterlijk. Helaas kwam hun geldverslindende pronkzucht ze duur te staan. De Franse Revolutie maakte vanaf 1789 niet alleen een eind aan alle koninklijke uitspattingen, maar ook aan hun leventje. Ze werden allemaal onthoofd. En daar is niets feestelijk aan! Voor de mensen op het schavot (podium) dan; de toeschouwers hadden reuzepret.

Altijd feesten met It-girls

De leventjes van It-girls staan in het teken van feesten en mode. De It-girl (hét meisje van hét moment) is een echt Amerikaans verschijnsel. Het woord verwijst naar de musical *It-girl* uit 2001, die weer gebaseerd is op een film uit 1927 waarin Clara Bow hét meisje was.
It-meiden zijn altijd jong en rijk. Ze daten met de leukste boys, en weten waar de beste feestjes zijn. Ze doen waar alle meisjes van dromen: modellenwerk, mode ontwerpen, boeken schrijven of iets met make-up. En de meest bekende meiden hebben constant een kudde fotografen om hun nek hangen. En dat is onze schuld. Want ze blijven ons maar boeien. Vooral hun kleding. We verslinden foto's van Paris en haar zus Nicky Hilton, en ook van popzangeresje Jessica Simpson, de acteerzusjes Mary Kate en Ashley Olsen en niet te vergeten van Hilary Duff. De invloed van deze hippe meiden op de mode is reusachtig. In de webwinkel van het Nederlandse www.netalsindefilm.nl kun je zien waarom. Deze feestbeestjes hebben gewoon altijd de leukste kleren!

gouden moderegels

En de winnaar is...

Het grootste filmfestival ter wereld is eigenlijk één groot jurkenfeest. Want tijdens de jaarlijkse Oscaruitreiking telt maar één ding: wie draagt wat en van wie? Zal Nicole Kidman weer in een Chanelletje een Oscar in ontvangst nemen? Weet Julia Roberts de modepers weer te verbazen met een vintage jurk? Zal regisseuse Sofia Coppola iets van haar goede vriend de ontwerper Marc Jacobs dragen? Of kiest ze iets van een ander?
Het zijn niet alleen fashionista's die in spanning uitkijken naar de mooiste jurkenparade van het jaar. Nee, modeontwerpers, die zijn pas zenuwachtig! Als een filmster een van hun jurken uitkiest, dan kan dit - zeker voor een beginnende modeontwerper - grote gevolgen hebben.
De foto's en tv-beelden van de Oscaruitreiking gaan namelijk de hele wereld over. De couturier Elie Saab werd op slag bekend toen de donkere actrice Halle Berry, gekleed in een jurk van Saab, de prijs voor de beste actrice won. Vanaf dat moment wisten Beyoncé en Christina Aguilera opeens waar ze hun feestjurk moesten

bestellen. En zou voetbalvrouw Silvie van der Vaart anders ook haar champagnekleurige trouwjurk bij de Libanese Elie hebben besteld?

Nieuwe dansen, nieuwe mode

Rock-'n-rollen, breakdancen en de charleston dansen lukt alleen als je outfit lekker zit!
Nou wil het toeval dat er bij elke nieuwe dansstijl wel een passende dansmode werd bedacht.
Na de Eerste Wereldoorlog dansten vrouwen de wilde charleston in jurken die nog nooit zo kort waren geweest! Om de dolle dans te benadrukken waren de jurken afgezet met rijen franjes. Als je in de knielange jurk de typische charlestonbeweging maakte
– onderbenen om de beurt omhoog en draaien maar
– schudden de franjes mooi heen en weer.
Tegelijk met de charleston maakte ook de passionele tango zijn opmars in Europa. Aan deze van oorsprong Zuid-Amerikaanse dans danken we de tangoschoen. Deze halfhoge schoen met een bandje over de wreef en een ietwat ronde neus is nog steeds te koop in talloze variaties. Ze worden allang niet meer alleen op de dansvloer gedragen.
In de jaren vijftig raakte de jeugd in de ban van rock-'n-roll. En ook toen dansten stelletjes in stijl. De meiden vlogen door de lucht in wijde petticoats. De petticoat was een onderrok die bestond uit een heleboel ruches en laagjes gaasachtige tulestof. Het was dus een heel gevaarte. Ze bestonden zelfs in opblaasversie!
Hiphoppers hiphoppen niet voor niets in zo'n lekker rekkend trainingspak. Tijdens hun favoriete kunstje,

breakdancen, cirkelen ze op hun hoofd rond. Toch is dat niet de enige reden waarom ze de ruimvallende pakken dragen. Ze zien er natuurlijk ook best indrukwekkend uit in die véél te grote kleren!

Petticoat

Onvergetelijke feestjurken

De eerste (én ergste) bling-jurk ooit. Bling is van alle tijden. De Franse koningin Maria de Medici was vierhonderd jaar geleden al stapelgek op diamanten en parels. Haar grootste zorg was voorkomen dat mensen haar over het hoofd zouden zien. Met een jurk die bezet was met 32.000 parels en 3000 diamanten was daar dan ook geen spreke van!

De veiligheidsspeldjurk. Wist je dat een jurk mensen beroemd kan maken? Voordat Elizabeth Hurley gefotografeerd werd in een opzienbarende jurk was ze 'niemand'. Nou ja, behalve dan het vriendinnetje van de acteur Hugh Grant. Een erg blote jurk van Versace – een paar stukjes stof die bijeengehouden werden met veiligheidsspelden – bracht daar verandering in.

De bloteborstenjurk. Was ook supersexy. Tijdens de uitreiking van een muziekprijs stal Jennifer Lopez de show in een groene jurk van (alweer) Versace. Hoe was het toch mogelijk, vroeg iedereen zich af, dat de borsten van La Lopez niet uit de tot aan de navel uitgesneden showjurk floepten? Het geheim was plakband! Dankzij de uitvinding van 'Hollywood Fashion Tape', ploppen er geen borsten meer uit jurken en zijn afzakkende topjes verleden tijd!

De blotebillenjurk. De ontwerpster van de BB-jurk is Marlies Dekkers. We horen haar nooit meer praten over haar spannendste ontwerp. Zou dat komen doordat Marlies Dekkers nu wereldberoemd is met lingerie? Haar jurk was lang van voren, maar superkort aan de achterkant!

De cocktailjurk. Een jurk die vernoemd is naar een drankje? Ja, die bestaat! Vanaf een uur of 5 tot 7 nipten dames nog even graag aan een drankje. En dat ging het best in een deftige jurk met een heel wijde rok. Deze cocktailjurkenmode begon in 1947 en hield wel tien jaar stand.

De uniseksjurk. De Franse modeontwerper Jacques Estérel ontwierp in 1970 een prachtige geborduurde jurk die door zowel mannen als vrouwen moest worden gedragen. De jurk paste helemaal bij de unisekstrend van dat moment. Dat hield in dat mannen en vrouwen precies dezelfde kleding aanhadden. Dat kon een broekpak zijn of een safaripakje. Maar, zo bleek al snel, geen feestelijke jurk. Daar waren mannen nog niet aan toe. Toen niet en nu nog steeds niet.

Feestelijk smeren en wassen met... champagne!

Mooie kleren en champagne zorgen altijd voor een vrolijke feeststemming. Wist je dat je met champagne veel meer kunt doen dan opdrinken? Het verhaal gaat dat Madame de Pompadour, de vriendin van de Franse koning Lodewijk xv, het goudkleurige druivensap graag over haar gezicht sprenkelde. Madame wist zeker dat je daar een frisse uitstraling van kreeg!
Hoe kan het anders of deze stokoude beautytip móét een Frans bedrijf op een idee hebben gebracht: een antirimpelcrème van druiven! Voor één kilo crème is maar liefst 10.000 kilo druiven nodig.
Het kan altijd gekker. Deze modetip van de gezaghebbende Diana Vreeland konden Amerikaanse vrouwen in 1939 lezen in *Vogue*: 'Het kapsel van uw blonde kind zal zijn gouden glans behouden als u het spoelt met "dode" champagne.' Champagneshampoo is nog niet te koop. Biershampoo wel. Proost!

Alles over feestelijk en ander (raar) haar

Het beroep kapper is een Franse uitvinding. De eerste bekende kapper is ene Monsieur Champagne. Vanaf 1660 kapt hij talloze beroemde dameshoofden. Vóór die tijd worden kappers helemaal niet gemist! Zowel vrouwen als mannen bedekken hun hoofd altijd en overal. Met simpele mutsen of ingewikkelde hoeden, maar soms ook met vals haar.

Poufs aux sentiments. Poufs zijn gigantische pruiken die hoog worden gehouden door ijzerdraadjes en waar

180

voorstellingen in verwerkt worden. Dames pronkten rond 1775 met de meest waanzinnige pruiken waar bijvoorbeeld een hele boerderij in verwerkt zit met schaapjes en karretjes. Koningin Marie-Antoinette draagt miniatuurschepen uit de Franse vloot. Alles kan: van tuintjes en vogelnestjes tot doodskisten. De rijkste dames wisselen wekelijks van voorstelling; de minderbedeelden eens per maand.

Blond haar. In 1931 speelt de hoogblonde Hollywood-actrice Jean Harlow in de film *Platinum Blonde.* De film is een kaskraker. Miljoenen vrouwen grijpen naar bleekmiddelen. Dat Harlows witte haar na de film in bosjes uitvalt, vertelt de filmstudio niet. Bekende blondjes: Marilyn Monroe, Blondie, Miss Piggy, Donatella Versace, Brad Pitt.

De boblijn. Het bobkapsel volgt de kaaklijn. Dit korte kapsel wordt zo'n honderd jaar geleden mode nadat een danseres het heeft aangedurfd om zomaar haar lange lokken te kortwieken. Een hele stap voor die tijd.

Slaapkamerhaar. Het kost best veel tijd om haar zo te krijgen alsof je net uit bed bent gerold. Slaapkamerkapsels worden mode in 1956, nadat de sexy langharige Française Brigitte Bardot (die met de pruillippen en eyeliner-ogen) een stijlicoon is geworden.

Groot haar. In het Engels: *big hair.* Begin jaren zestig worden kapsels in Amerika opeens megagroot. Eerst in de showbizz, en daarna apen gewone mensen het na. Je hoeft er weinig voor te doen. Een beetje hippe vrouw heeft meerdere pruiken op haar kaptafel staan. Tegenwoordig maken we 'groot' haar met hairextensions, lange ingeweven haarplukken.

De hanenkam. De meest gewaagde kapsels worden nog altijd door punkers gedragen. Hun hanenkam is het meest extreme haar aller tijden. De rechtopstaande 'kam' wordt omhooggehouden met een mengsel van suiker en water. Toch ziet dit zoete kapsel er niet uit om af te likken.

Jennifer-haar. In 1994 lopen enkele maanden na de start van de Amerikaanse tv-serie *Friends* acht op de tien Amerikaanse vrouwen met halflang gladgestreken haar. Ze wilden hetzelfde kapsel als de populaire actrice Jennifer Aniston (de ex van Brad Pitt) in de serie.

Wat moet ik aantrekken om een lekker ding te versieren?

Alles uit de klerenkast trekken om indruk te maken? Deze *dress to impress*-manier biedt geen garantie voor succes! Laat dat ienie-mini-minirokje dus maar in de kast hangen. De kans dat een jongen jou alleen maar te gek vindt om je korte rokje (of hippe spijkerbroek, of kapsel) is miniem.
Belangrijk is dat jíj je fijn voelt in wat je ook draagt.

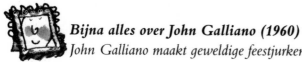

Bijna alles over John Galliano (1960)

*John Galliano maakt geweldige feestjurken. De Engelse
ontwerper, die bekendstaat als een grote feestneus, geeft ook
superopwindende modeshows. De topmodellen van Galliano
dragen altijd de meest waanzinnige make-up en kapsels.
En bij alle kleding én accessoires die voorbijkomen knippert
het modepubliek wel twee keer met hun ogen. Zo bijzonder
is alles. (Zouden daarom sommige modejournalisten hun
zonnebril tijdens een show op houden?)
Sinds 1994 is de snordragende John de baas van het Franse
merk Christian Dior. Voor die tijd was zo'n beetje iedereen
het peperdure luxemerk een beetje vergeten. Maar door de
opzienbarende coutureshows van Galliano telt het label weer
helemaal mee. (En het was een erg slim idee om het Dior-
merk megagroot op tassen te zetten!)
John Galliano werd geboren in Gibraltar, een Engelse
vestingplaats in Spanje. Als kind wist hij al dat hij
modeontwerper wilde worden. Op zijn vierentwintigste
studeerde hij af aan de beroemde St. Martins-kunstacademie in
Londen. Hij had zich voor zijn afstudeercollectie geïnspireerd
op kleding die gedragen werd tijdens de Franse Revolutie.
Toen kon je al zien dat hij een kei in styling was. Als een
ontwerper daar goed in is, betekent het dat hij met behulp van
accessoires, make-up en kapsels een bepaalde sfeer neerzet die
helemaal klopt. En een beetje overdrijven hoort daar ook bij.
Daarom lopen tijdens modeshows zijn modellen bijvoorbeeld
op superhoge schoenen of dragen ze rokken van vier meter
doorsnee.
De kleding en accessoires die Galliano onder zijn eigen naam
ontwerpt, zijn al even apart. Maar de haute couture-jurken die
hij voor Christian Dior ontwerpt zijn het extreemst. Stel dat
de echte Dior ze zou zien vanaf zijn wolkje in de modehemel.*

184

Hij zou zich een hoedje schrikken!
Bijvoorbeeld van een couturecollectie die helemaal geïnspireerd
was op Egypte of op dames uit de victoriaanse tijd, die gekleed
gingen in hooggesloten lange jurken.
'Maar dat is toch hartstikke ondraagbaar?' hoor je vaak na
een Galliano-show. Ach, dat zeiden mensen ook van zijn
ondergoedachtige jurkjes. En van zijn tassen die geïnspireerd
waren op paardenzadels. Maar een tijdje later zag je wel net
zoiets hangen in alle winkels!

Altijd top: de schuin geknipte jurk

Van een schuin geknipte jurk dromen niet alle meisjes.
Waarschijnlijk omdat zo'n jurk valt in de categorie
'grotemensenmode'. Hoogste tijd voor wat uitleg over dit
mysterieuze kledingstuk.
Bij een schuin geknipte jurk - het woord zegt het al -
heeft het jurkpatroon schuin op een stof gelegen.
Waarom? Omdat 'schuine' stof duizend keer mooier om
een lichaam valt dan recht geknipte. Er zit dan veel meer
rek in het weefsel en dat maakt het soepel.
De prachtigste exemplaren zijn ooit gemaakt door
de Franse ontwerpster Madeleine Vionnet. Heel veel
modeontwerpers hebben haar jurken geïmiteerd.
Bijvoorbeeld de Engelse ontwerper John Galliano. Hij
maakt nu de meest feestelijke, de meest glamoureuze en
zeker de allerduurste schuin geknipte jurken!

Versier jezelf: maak een bloemcorsage

Moeilijk? ○ makkie! ○ mwoah... ● ff doorbijten ○ hellup!?

Een saai jasje of truitje fleur je eenvoudig op met een bloemcorsage.
Tip: gebruik voor een romantische corsage stof met stippen én kleine
bloemetjes. Voor een sportief effect mix je streepjes met ruitjes.
Hoe groter de corsage is, hoe beter!

Dit heb je nodig:

- *katoenen stofjes met verschillende kleurtjes en motiefjes*
- *een schaar*
- *een mooie knoop of kraal*
- *een veiligheidsspeld en naaigaren*
- *om katoenen stofjes steviger te maken kun je er vlieseline onder strijken*

Zo doe je het:

- Teken een bloempatroon in verschillende maten van groot naar klein.
- Knip de patronen uit.
- Leg de patronen op de achterkant van de stof, trek ze om en knip ze uit.
- Leg de grootste bloemen onderop en de kleinere bovenaan.
- Je kunt wel vijf laagjes stof op elkaar leggen.
- Naai in het midden van de stof een knoop of kraal.
- Prik de veiligheidspeld aan de achterkant.
- Klaar, en opspelden maar!

Mode in de 21ᵉ eeuw: accessoires zijn in, kleren zijn uit

De laatste jaren kopen we liever tassen, schoenen, zonnebrillen, mobiele telefoons en mp3-spelers dan kleding. Steeds meer jonge meiden geven bakken geld uit aan antirimpelmiddeltjes en botox-injecties, nephaar (extensions) en nieuwe neuzen, borsten en billen. Oud worden is uit! Popdiva Madonna is daarvan het bewijs. Zou dat allemaal komen doordat er op modegebied weinig interessants gebeurt? In ieder geval komen veel ideeën van jonge ontwerpers uit de jaren zestig, zeventig en tachtig - de tijd waarin ze opgroeiden.

De grootste trendsetters in de mode werken voor 'afgestofte' oude modehuizen als Balenciaga, Louis Vuitton en Rochas. Maar ook deze modegoden grijpen maar wat graag terug op het verleden. In hun collecties herleven stijlen uit de jaren twintig tot zestig.

Tweedehands kleding (*vintage*) vinden we niet langer vies. Het 'mixen' van iets ouds met iets nieuws is een grote trend.

Sinds bekende modeontwerpers en popsterren voor sportmerken als Puma en Adidas werken, is sportkleding ook te koop in hippe modewinkels. We doen nu boodschappen in trainingsjasjes en sporten bijna in couture.

Toch is er nog iets belangrijks aan de hand. Het rechte silhouet van de jaren negentig verandert. Vanaf 2000 krijgt kleding volume. We zien veel topjes waarbij het accent niet meer op de taille ligt, maar vlak onder de borsten. Rokjes bollen op en mouwen poffen.

Er is hernieuwde aandacht voor 'schone' kleren (zie hoofdstuk 9: 'Oud maar niet afgedankt'). Er komen nieuwe modemerken die alleen nog maar milieuvriendelijke kleren maken.

Beroemdheden: übertopmodel Kate Moss, It-girl Paris Hilton, popster Beyoncé **Belangrijke modeontwerpers:** *John Galliano (Christian Dior), Marc Jacobs (Louis Vuitton), Nicolas Ghesquière (Balenciaga)* **Belangrijke accessoiremerken:** *Louis Vuitton, Prada, Gucci, Marc Jacobs, Christian Dior, Miu Miu.*
UIT: *van top tot teen in merkkleding lopen, tatoeages*
IN: *tassen, vintage, bling*

Verantwoording

Hoe hoort het eigenlijk is geschreven door Amy Groskamp-Ten Have, maar nu herzien en aangepast aan de 21ᵉ eeuw door Reinildis van Ditzhuijzen. Het is uitgegeven door Gottmer in Haarlem. ISBN 90 230 1015 9

Register